초등 수학 핵심파트 집중 완성

교과특강

초6

F1

비와 비율

에듀히어로
Edu HERO

"진짜 히어로는 우리 아이들입니다!"

에듀히어로는
우리 아이들이 밝고 건강한 내일을 꿈꿀 수 있도록
긍정적이고 효과적인 교육 서비스를 제공하는 것을
최우선 목표로 하고 있습니다.

그 존재만으로도 든든한 히어로처럼 아이들의 곁에서 힘이 되어주고,
나아가 아이들 각자가 스스로의 인생 속 히어로가 될 수 있도록

우리는 진심과 열정을 다해 아이들과 함께 할 것을 약속 드립니다.

네이버 카페

교재 상세 소개와 진단 테스트
및 유용하게 풀 수 있는
학습 자료를 다운로드 해 보세요.

인스타그램

에듀히어로 인스타그램을
팔로우하시면 다양한 이벤트와
신간 소식을 빠르게 만나보실
수 있습니다.

카카오톡 채널

자녀 수학 공부 상담 및
자유로운 질문을 남겨 주세요.
함께 고민하고
답변해 드리겠습니다.

히어로컨텐츠 HEROCONTENS

발행일: 2023년 4월 **발행인**: 이예찬

기획개발: 두줄수학연구소

디자인: 4BD STUDIO **삽화**: 1000DAY

발행처: 히어로컨텐츠

주소: 서울특별시 금천구 서부샛길 632, 7층(대륭테크노타운5차)

전화: 02-862-2220 **팩스**: 02-862-2227

지원카페: cafe.naver.com/eduherocafe **인스타그램**: @edu__hero **카카오톡**: 에듀히어로

초등 수학 핵심파트 집중 완성 교과특강

수학을 잘 하기 위해서는 1) 수와 연산 2) 도형 3) 측정 4) 규칙성 5) 자료와 가능성 등 초등 수학 5대 학습 영역을 고르게 학습해야 합니다.
다른 교과 과목에 비해 많은 시간을 수학을 학습하는 데 할애하고 있지만 아쉽게도 대부분은 연산 영역에 편중되어 있습니다.
최근 들어 '도형' 등 연산 이외의 다른 영역으로 학습을 확장하는 교재들이 출간되고 있지만 여전히 학년별로 다양한 학습 영역과 필수 주제를 체계적으로 안내해 주는 학습지는 많지 않은 것이 현실입니다.
그런 이유로 교과특강은 학년별 필수 주제를 기본 개념부터 응용, 사고력까지 충분하게 학습하고 훈련할 수 있도록 개발되었습니다.
수학을 잘 하고 싶은 학생들에게 노력한 만큼의 성장을 이루어내는 데 교과특강은 좋은 토양과 밑거름이 되어줄 것입니다.

초등 수학 핵심파트 집중 완성 교과특강은

1. '자료 해석 능력'을 집중적으로 키웁니다.

앞으로의 학습은 주어진 표와 그래프를 보고 그 의미를 해석하고 추론하는 '자료 해석 능력'을 요구합니다. 실제로 초등 전학년 뿐만 아니라 중등 과정에서도 '자료 해석'은 학습자의 문제해결력을 확인하는 중요한 소재가 되고 있습니다. 다양한 표와 그래프를 이해하고 해석하는 학습은 초등 과정부터 미리 준비하고 집중적으로 훈련할 필요가 있습니다.

2. '측정', '규칙성' 등 필수 영역임에도 쉽게 지나칠 수 있는 주제를 체계적으로 학습합니다.

길이, 무게, 시간, 어림하기 등 초등 과정에서 쉽게 지나치기 쉬운 '측정'과 추론 능력을 길러주는 '규칙성'을 집중적으로 학습합니다.

3. 복습과 예습으로 학년과 학년 사이의 징검다리 역할을 합니다.

1학년에서 2학년, 2학년에서 3학년, 3학년에서 4학년 등 학년이 올라갈수록 특정 영역에서 수학이 갑자기 어려워지는 순간이 옵니다. 교과특강은 각 학년에서 반드시 짚고 넘어가야 하는 주제를 복습하면서 다음 학년을 위한 예습까지 할 수 있도록 개발되었습니다.

4. 문제해결력과 사고력을 길러줍니다.

기본적인 개념을 바탕으로 이를 응용하고 활용하는 문제해결력과 생각하는 힘을 길러줍니다.

초등 수학 핵심파트 집중 완성 **교과특강**은

7세부터 6학년까지 총 7단계 21권(단계별 3권)으로 구성되어 있으며 각 권은 하루에 1장씩 주 5회, 총 4주간 체계적으로 학습할 수 있습니다.
매주 5일차의 학습이 끝난 뒤엔 '생각더하기'를 통해 창의력과 사고력을 기르고, 4주의 학습이 끝난 뒤엔 '링크'와 '형성평가'로 관련 주제를 학습하고 교과 수학을 완성할 수 있습니다.

대 상	단 계	구 성
7세 ~ 1학년	P	P1, P2, P3
1학년	A	A1, A2, A3
2학년	B	B1, B2, B3
3학년	C	C1, C2, C3
4학년	D	D1, D2, D3
5학년	E	E1, E2, E3
6학년	F	F1, F2, F3

<교과 수학 시리즈 F단계 로드맵>

에듀히어로의 교과 수학 시리즈를 체계적으로 학습하기 위한 로드맵입니다.
예습을 하며 집중적으로 학습하려면 '영역별 집중 학습'을,
교과서 진도에 맞추어 학습하려면 '교과 진도 맞춤 학습'을 권장드립니다.

[영역별 집중 학습]

1월	2월	3월	4월	5월	6월
교과연산 F0, 교과도형 F1	교과연산 F1, 교과도형 F2	교과연산 F2, 교과도형 F3	교과연산 F3, 교과특강 F1	교과특강 F2	교과특강 F3

[교과 진도 맞춤 학습]

1월	2월	3월	4월	5월	6월	7월	8월	9월	10월
교과연산 F0	교과연산 F1	교과도형 F1	교과특강 F1	교과특강 F2	교과연산 F2	교과연산 F3	교과도형 F2	교과특강 F3	교과도형 F3

교과특강은 교과 수학을 완성합니다.

주제별 학습

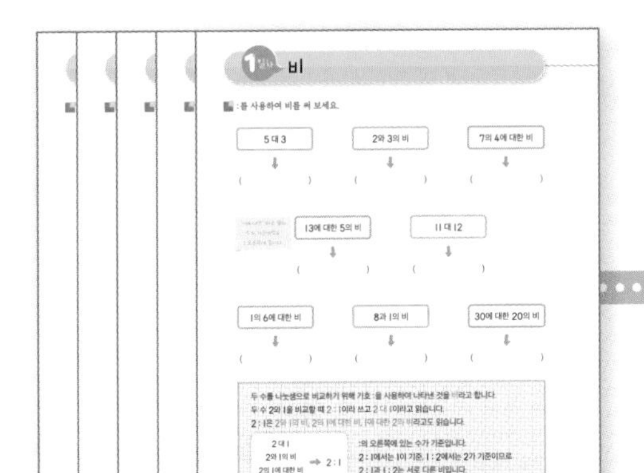

1일차 비

:를 사용하여 비를 써 보세요.

5 대 3 → (　　)　2와 3의 비 → (　　)　7의 4에 대한 비 → (　　)

13에 대한 5의 비 → (　　)　11 대 12 → (　　)

1의 6에 대한 비 → (　　)　8과 1의 비 → (　　)　30에 대한 20의 비 → (　　)

두 수를 나눗셈으로 비교하기 위해 기호 :을 사용하여 나타낸 것을 비라고 합니다.
두 수 2와 1을 비교할 때 2 : 1이라 쓰고 2 대 1이라고 읽습니다.
2 : 1은 2와 1의 비, 2의 1에 대한 비, 1에 대한 2의 비라고도 읽습니다.

2 대 1
2와 1의 비
2의 1에 대한 비
1에 대한 2의 비
→ 2 : 1

:의 오른쪽에 있는 수가 기준입니다.
2 : 1에서는 1이 기준, 1 : 2에서는 2가 기준이므로
2 : 1과 1 : 2는 서로 다른 비입니다.
비로 나타낼 때는 기준이 무엇인지 잘 살펴보아야 합니다.

8 교과특강 F1

생각더하기

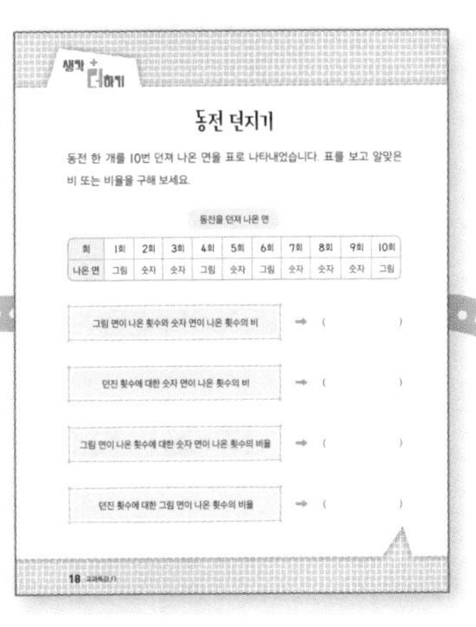

생각 더하기

동전 던지기

동전 한 개를 10번 던져 나온 면을 표로 나타내었습니다. 표를 보고 알맞은 비 또는 비율을 구해 보세요.

동전을 던져 나온 면

회	1회	2회	3회	4회	5회	6회	7회	8회	9회	10회
나온 면	그림	숫자	숫자	그림	숫자	그림	숫자	숫자	숫자	그림

그림 면이 나온 횟수와 숫자 면이 나온 횟수의 비 → (　　)

던진 횟수에 대한 숫자 면이 나온 횟수의 비 → (　　)

그림 면이 나온 횟수에 대한 숫자 면이 나온 횟수의 비율 → (　　)

던진 횟수에 대한 그림 면이 나온 횟수의 비율 → (　　)

18 교과특강 F1

초등 수학을 주제별로 집중 학습합니다. 각 주차의 마지막에 있는 **생각더하기**로 문제해결력을 기릅니다.

링크

LINK 1 비율대로 그리기

가로에 대한 세로의 비율이 같은 직사각형끼리 같은 색깔로 색칠해 보세요.

15 cm, 6 cm　15 cm, 9 cm
12 cm, 9 cm　20 cm, 8 cm
18 cm, 9 cm　14 cm, 7 cm
10 cm, 6 cm　16 cm, 12 cm

56 교과특강 F1

주제별 학습과 연결하여 사고력과 창의력을 향상시킬 수 있는 내용을 학습합니다.

형성평가

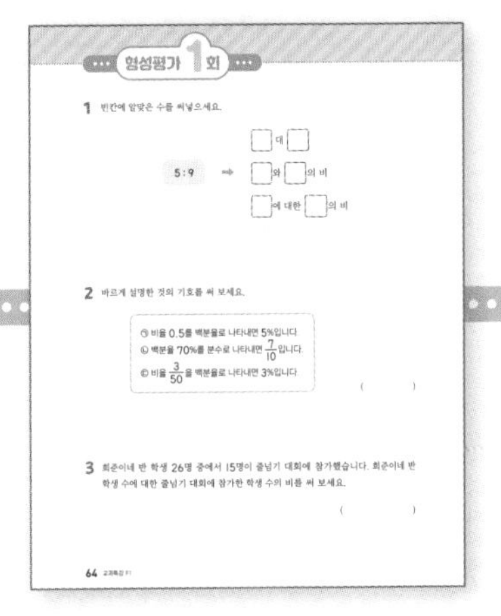

형성평가 1회

1 빈칸에 알맞은 수를 써넣으세요.

5 : 9 → □ 대 □ / □와 □의 비 / □에 대한 □의 비

2 바르게 설명한 것의 기호를 써 보세요.

㉠ 비율 0.5를 백분율로 나타내면 5%입니다.
㉡ 백분율 70%를 분수로 나타내면 $\frac{7}{10}$입니다.
㉢ 비율 $\frac{3}{50}$을 백분율로 나타내면 3%입니다.

(　　)

3 희준이네 반 학생 26명 중에서 15명이 줄넘기 대회에 참가했습니다. 희준이네 반 학생 수에 대한 줄넘기 대회에 참가한 학생 수의 비를 써 보세요.

(　　)

64 교과특강 F1

2회의 형성평가로 배운 내용을 잘 알고 있는지 확인합니다.

이 책의 차례

1 주차

비와 비율

1일차 비

: 를 사용하여 비를 써 보세요.

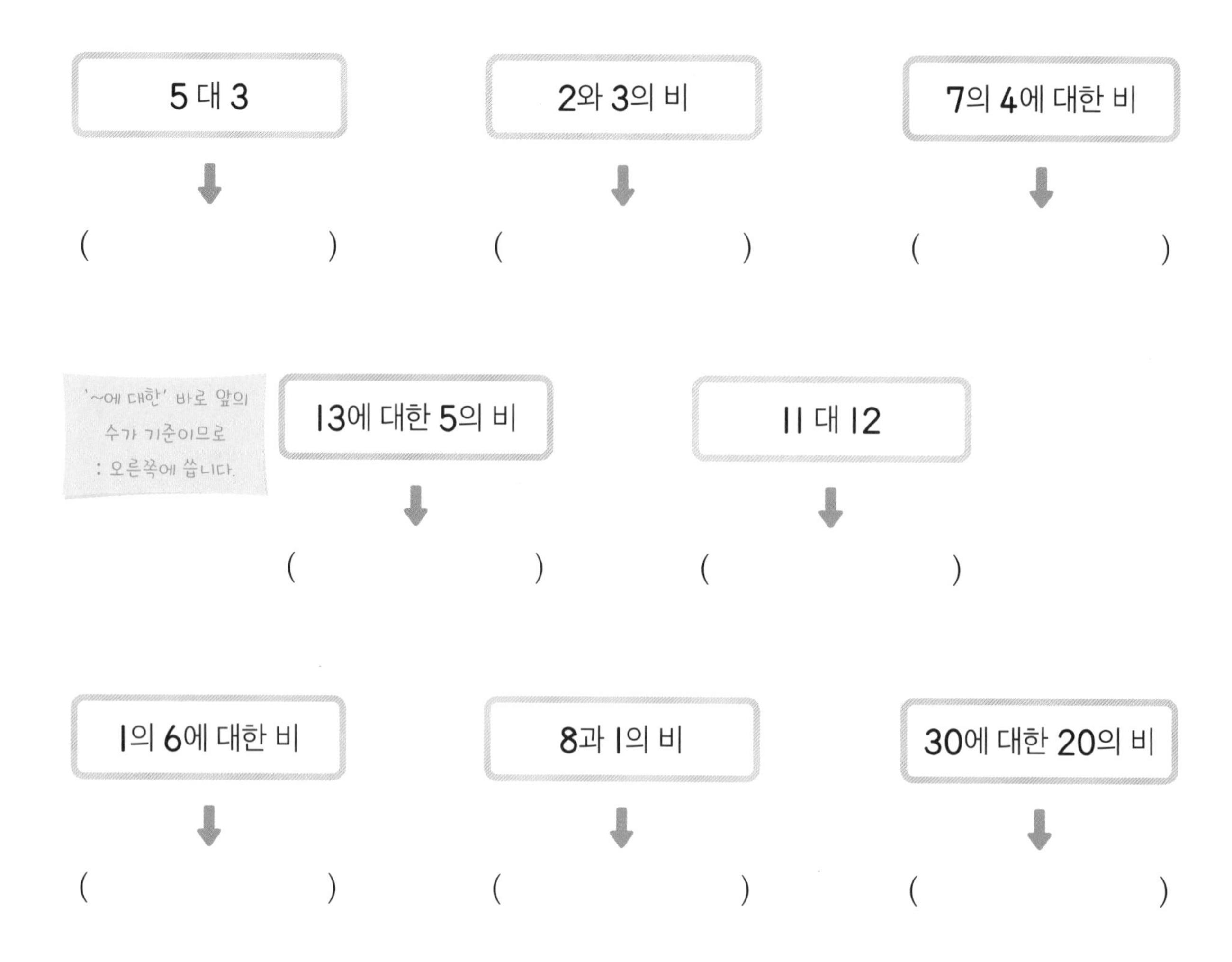

두 수를 나눗셈으로 비교하기 위해 기호 : 을 사용하여 나타낸 것을 비라고 합니다.
두 수 2와 1을 비교할 때 2 : 1이라 쓰고 2 대 1이라고 읽습니다.
2 : 1은 2와 1의 비, 2의 1에 대한 비, 1에 대한 2의 비라고도 읽습니다.

2 대 1
2와 1의 비
2의 1에 대한 비
1에 대한 2의 비
➡ 2 : 1

: 의 오른쪽에 있는 수가 기준입니다.
2 : 1에서는 1이 기준, 1 : 2에서는 2가 기준이므로
2 : 1과 1 : 2는 서로 다른 비입니다.
비로 나타낼 때는 기준이 무엇인지 잘 살펴보아야 합니다.

나머지와 다른 비를 나타내는 것 하나에 ╳표 하세요.

4 : 3	3에 대한 4의 비	4 대 3	3과 4의 비

9 대 10	10의 9에 대한 비	9와 10의 비	10에 대한 9의 비

8과 5의 비	5 : 8	8에 대한 5의 비	5 대 8

1의 12에 대한 비	1 대 12	1에 대한 12의 비	1과 12의 비

13에 대한 7의 비	7과 13의 비	7 : 13	13의 7에 대한 비

2일차 비로 나타내기

그림을 보고 빈칸에 알맞은 수를 써넣으세요.

컵 수와 주전자 수의 비 ➡ □ : □

컵 수의 주전자 수에 대한 비 ➡ □ : □

주전자 수에 대한 컵 수의 비 ➡ □ : □

배 수와 사과 수의 비 ➡ □ : □

사과 수의 배 수에 대한 비 ➡ □ : □

전체 과일 수에 대한 사과 수의 비 ➡ □ : □

전체 과일 수에 대한 배 수의 비 ➡ □ : □

주어진 비만큼 색칠해 보세요.

색칠한 부분과
색칠하지 않은 부분의 비 ➡ 3 : 1

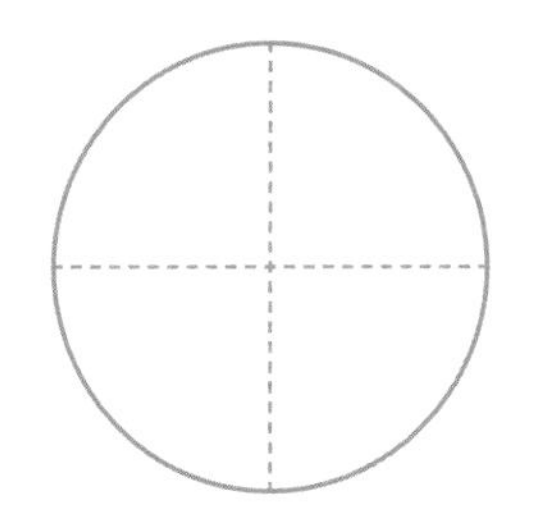

색칠하지 않은 부분과
색칠한 부분의 비 ➡ 5 : 4

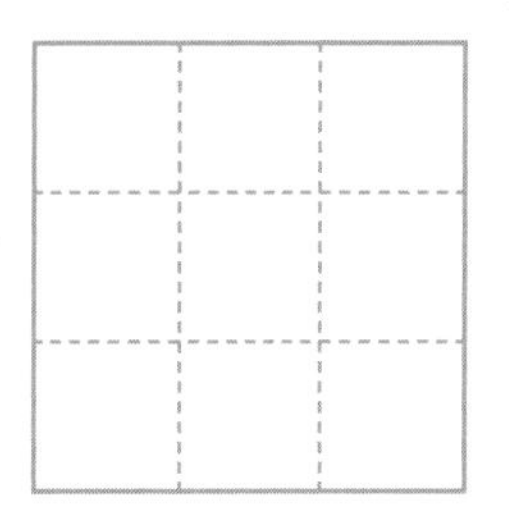

전체에 대한
색칠한 부분의 비 ➡ 5 : 8

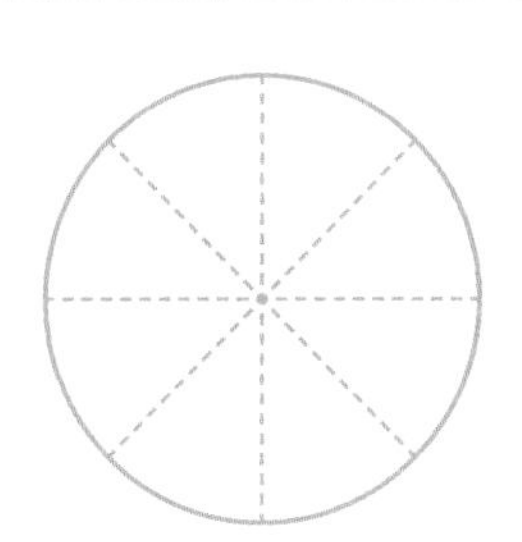

전체에 대한
색칠한 부분의 비 ➡ 1 : 6

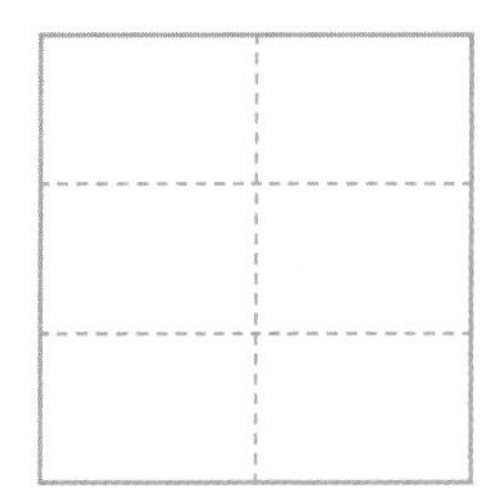

전체에 대한
색칠하지 않은 부분의 비 ➡ 5 : 6

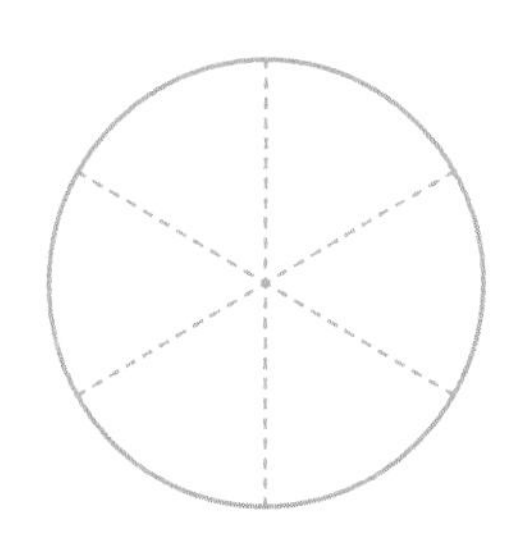

전체에 대한
색칠하지 않은 부분의 비 ➡ 2 : 5

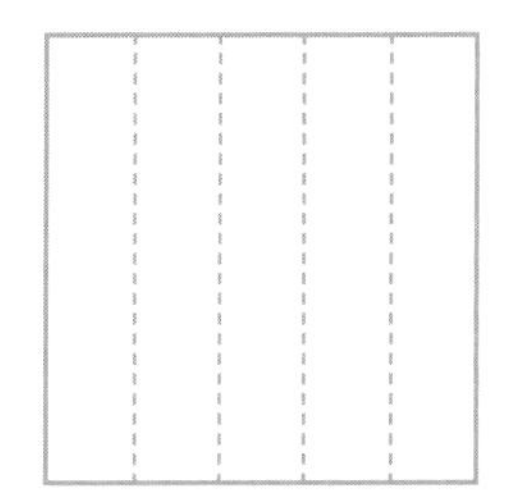

3일차 비 구하기

물음에 답하세요.

밀가루 4컵에 물 1컵을 넣어 반죽을 만들었습니다. 밀가루의 양과 물의 양의 비를 써 보세요.

(   )

민우는 가로가 10 cm, 세로가 7 cm인 직사각형을 그렸습니다. 민우가 그린 직사각형의 가로와 세로의 비를 써 보세요.

(   )

유진이네 반 학생 23명 중 여학생은 12명입니다. 유진이네 반 학생 수에 대한 여학생 수의 비를 써 보세요.

(   )

지예는 둘레가 1000 m인 산책로에서 700 m를 걸었습니다. 전체 산책로 거리에 대한 지예가 걸은 거리의 비를 써 보세요.

(   )

물음에 답하세요.

준수네 반 학생은 29명이고, 남학생이 15명, 여학생이 14명입니다. 준수네 반의 남학생 수와 여학생 수의 비를 써 보세요.

( )

리본끈이 5 m 있습니다. 그중 상자를 포장하는 데 2 m를 사용했습니다. 남은 끈의 길이에 대한 사용한 끈의 길이의 비를 써 보세요.

( )

강당에 있는 학생 30명 중 17명이 모자를 쓰고 있습니다. 강당에 있는 전체 학생 수에 대한 모자를 쓰지 않은 학생 수의 비를 써 보세요.

( )

흰색 바둑돌이 24개, 검은색 바둑돌이 25개 있습니다. 전체 바둑돌 수에 대한 흰색 바둑돌 수의 비를 써 보세요.

( )

4일차 비율

비를 보고 비교하는 양, 기준량, 비율을 각각 구해 보세요.

비	비교하는 양	기준량	비율
1 : 5	1	5	
14 대 10			
3과 20의 비			
9의 3에 대한 비			
4에 대한 1의 비			

비 6 : 10에서 기호 :의 오른쪽에 있는 10은 기준량, 왼쪽에 있는 6은 비교하는 양입니다.
기준량에 대한 비교하는 양의 크기를 비율이라고 합니다.

6 : 10 ➡ (비교하는 양) : (기준량) ➡ (비율) $=$ (비교하는 양) $\div$ (기준량) $= \dfrac{(\text{비교하는 양})}{(\text{기준량})}$

비 6 : 10을 비율로 나타내면 $6 \div 10$으로 $\dfrac{6}{10}\left(=\dfrac{3}{5}\right)$ 또는 0.6입니다.

월 일

비율을 분수와 소수로 나타낸 것을 찾아 이어 보세요.

비	분수	소수
4 : 5	$\frac{3}{4}$	0.8
3과 4의 비	$\frac{4}{5}$	0.4
4에 대한 5의 비	$\frac{2}{5}$	0.75
2의 5에 대한 비	$\frac{5}{4}$	1.25

비	분수	소수
21 : 20	$\frac{3}{10}$	1.1
6 대 20	$\frac{12}{25}$	0.3
11의 10에 대한 비	$\frac{11}{10}$	1.05
50에 대한 24의 비	$\frac{21}{20}$	0.48

5일차 비율 구하기

물음에 답하세요.

쌀 5컵과 보리 1컵을 섞어 밥을 지었습니다. 쌀의 양에 대한 보리의 양의 비율을 분수로 나타내어 보세요.

쌀의 양에 대한 보리의 양의 비를 구한 다음, 비를 비율로 나타냅니다.

( )

직사각형 모양인 액자의 가로가 25 cm, 세로가 20 cm입니다. 액자의 세로에 대한 가로의 비율을 소수로 나타내어 보세요.

( )

빵집에서 아침에 만든 빵 60개 중 35개를 팔았습니다. 만든 빵의 수에 대한 팔린 빵의 수의 비율을 분수로 나타내어 보세요.

( )

상자에 들어 있는 공 16개 중 파란색 공이 4개입니다. 상자에 들어 있는 공 수에 대한 파란색 공 수의 비율을 소수로 나타내어 보세요.

( )

월 일

물음에 답하세요.

색종이 49장 중에서 빨간색이 14장, 노란색이 35장입니다. 노란색 색종이 수에 대한 빨간색 색종이 수의 비율을 분수로 나타내어 보세요.

( )

예원이는 고리 20개를 던져 8개를 넣었습니다. 던진 고리 수에 대한 넣지 못한 고리 수의 비율을 소수로 나타내어 보세요.

( )

파란색 페인트 200 mL와 노란색 페인트 150 mL를 섞었습니다. 전체 페인트 양에 대한 노란색 페인트 양의 비율을 분수로 나타내어 보세요.

( )

공책의 긴 쪽은 30 cm, 짧은 쪽은 긴 쪽보다 9 cm 더 짧습니다. 공책의 긴 쪽의 길이에 대한 짧은 쪽의 길이의 비율을 소수로 나타내어 보세요.

( )

동전 던지기

동전 한 개를 10번 던져 나온 면을 표로 나타내었습니다. 표를 보고 알맞은 비 또는 비율을 구해 보세요.

동전을 던져 나온 면

회	1회	2회	3회	4회	5회	6회	7회	8회	9회	10회
나온 면	그림	숫자	숫자	그림	숫자	그림	숫자	숫자	숫자	그림

그림 면이 나온 횟수와 숫자 면이 나온 횟수의 비 ➡ (　　　　　　)

던진 횟수에 대한 숫자 면이 나온 횟수의 비 ➡ (　　　　　　)

그림 면이 나온 횟수에 대한 숫자 면이 나온 횟수의 비율 ➡ (　　　　　　)

던진 횟수에 대한 그림 면이 나온 횟수의 비율 ➡ (　　　　　　)

2 주차

비율의 이용

1일차 직사각형의 비율

직사각형의 가로에 대한 세로의 비와 비율, 세로에 대한 가로의 비와 비율을 각각 구해 보세요.

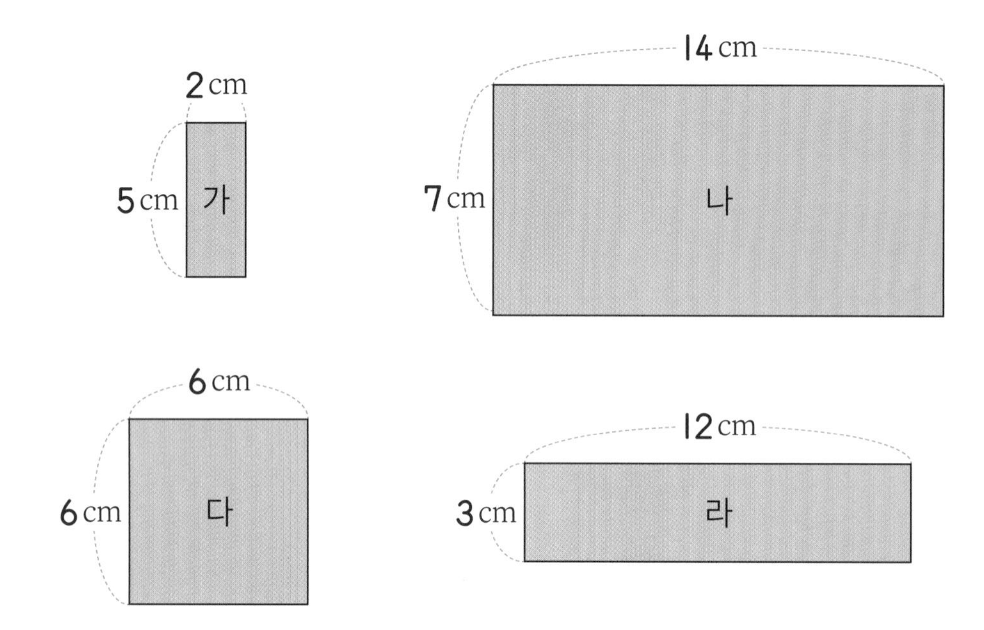

직사각형	가로에 대한 세로의 비	가로에 대한 세로의 비율	세로에 대한 가로의 비	세로에 대한 가로의 비율
가	5 : 2			
나				
다				
라				

직사각형을 보고 물음에 답하세요.

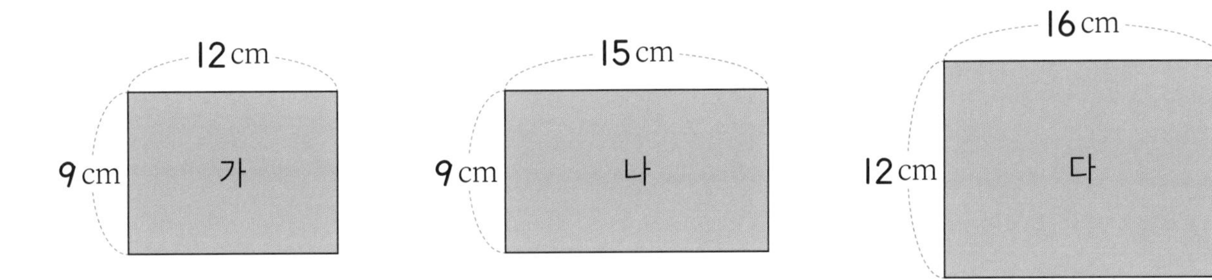

가의 가로에 대한 세로의 비율을 분수와 소수로 각각 나타내어 보세요.

(,)

나의 가로에 대한 세로의 비율을 분수와 소수로 각각 나타내어 보세요.

(,)

다의 가로에 대한 세로의 비율을 분수와 소수로 각각 나타내어 보세요.

(,)

가로에 대한 세로의 비율이 같은 두 직사각형의 기호를 각각 써 보세요.

(,)

2일차 거리와 시간

걸린 시간에 대한 간 거리의 비율을 구해 보세요.

상희가 100 m를 달리는 데 20초가 걸렸습니다. ➡ (   )

(100 m: 간 거리, 20초: 걸린 시간)

기차가 2시간 동안 300 km를 달렸습니다. ➡ (   )

개미가 30 cm를 기어가는 데 40초가 걸렸습니다. ➡ (   )

자동차로 320 km를 가는 데 4시간이 걸렸습니다. ➡ (   )

유건이는 25분 동안 1000 m를 걸었습니다. ➡ (   )

걸린 시간에 대한 간 거리의 비율을 구할 때 기준량은 걸린 시간, 비교하는 양은 간 거리입니다.

$$(\text{비율}) = \frac{(\text{비교하는 양})}{(\text{기준량})} = \frac{(\text{간 거리})}{(\text{걸린 시간})}$$

걸린 시간에 대한 간 거리의 비율은 단위 시간 동안 간 거리를 나타내고, 비율이 클수록 빠릅니다.

승하와 다현이의 오래달리기 기록을 나타낸 표입니다. 물음에 답하세요.

오래달리기 기록

이름	승하	다현
달린 거리(m)	600	800
걸린 시간(초)	200	250

승하의 기록에서 걸린 시간에 대한 달린 거리의 비율은 얼마인가요?

( )

다현이의 기록에서 걸린 시간에 대한 달린 거리의 비율은 얼마인가요?

( )

승하와 다현이 중 누가 더 빠른가요?

비율을 비교해 봅니다.

( )

3일차 사람 수와 넓이

넓이에 대한 사람 수의 비율을 구해 보세요.

6명이 8인실 방을 사용했습니다. ➡ (　　　　　　)

사람 수　넓이

넓이가 5 km^2인 마을의 인구는 6500명입니다. ➡ (　　　　　　)

넓이가 400 m^2인 강당에 학생 120명이 있습니다. ➡ (　　　　　　)

570명이 사는 마을의 넓이는 3 km^2입니다. ➡ (　　　　　　)

넓이가 130 km^2인 섬의 인구는 9100명입니다. ➡ (　　　　　　)

넓이의 대한 사람 수의 비율을 구할 때 기준량은 넓이, 비교하는 양은 사람 수입니다.

$$(\text{비율}) = \frac{(\text{비교하는 양})}{(\text{기준량})} = \frac{(\text{사람 수})}{(\text{넓이})}$$

넓이의 대한 사람 수의 비율은 단위 넓이에 있는 사람 수를 나타내고, 비율이 클수록 사람이 밀집해 있습니다.

미소 마을과 해별 마을의 인구와 넓이를 나타낸 표입니다. 물음에 답하세요.

마을의 인구와 넓이

마을	미소 마을	해별 마을
인구(명)	6800	7200
넓이(km^2)	4	6

미소 마을의 넓이에 대한 인구의 비율은 얼마인가요?

( )

해별 마을의 넓이에 대한 인구의 비율은 얼마인가요?

( )

미소 마을과 해별 마을 중 인구가 더 밀집한 마을은 어디인가요?

( )

4일차 성공률

성공률을 구해 보세요.

공을 5번 차서 골대에 4번 넣었습니다. ➡ (　　　　　　)

시도한 횟수　　성공한 횟수

고리를 30개 던져 9개를 넣었습니다. ➡ (　　　　　　)

과녁에 화살을 15번 쏘아 10번 맞혔습니다. ➡ (　　　　　　)

투호에서 화살을 40개 던져 8개 넣었습니다. ➡ (　　　　　　)

야구 선수가 100타수에서 안타를 28개 쳤습니다. ➡ (　　　　　　)

야구 경기에서 성공률은 타수에 대한 안타 수의 비율이고 이것을 타율이라고 합니다.

성공률은 시도한 전체 횟수에 대한 성공한 횟수의 비율입니다.
성공률에서 기준량은 시도한 횟수, 비교하는 양은 성공한 횟수입니다.

$$(\text{성공률})=\frac{(\text{비교하는 양})}{(\text{기준량})}=\frac{(\text{성공한 횟수})}{(\text{시도한 횟수})}$$

성빈이와 용주가 농구공 던져 넣기를 한 결과입니다. 물음에 답하세요.

농구공 던져 넣기 결과

이름	성빈	용주
던진 횟수(번)	15	20
공을 넣은 횟수(번)	9	14

성빈이의 성공률은 얼마인가요?

( )

용주의 성공률은 얼마인가요?

( )

성빈이와 용주 중 농구공 던져 넣기 성공률이 더 높은 사람은 누구인가요?

( )

5일차 비율의 비교

물음에 답하세요.

종이 가와 나의 일부분을 색칠했습니다. 전체 종이에 대한 색칠한 부분의 비율이 더 높은 것의 기호를 써 보세요.

가 나

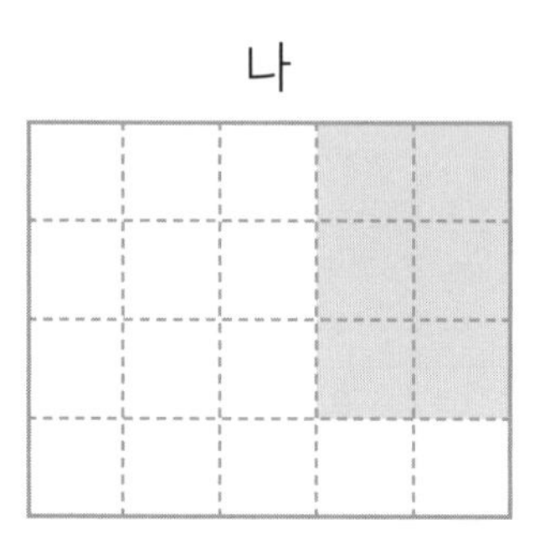

(　　　　　)

종이 가와 나의 일부분을 색칠했습니다. 전체 종이에 대한 색칠한 부분의 비율이 더 높은 것의 기호를 써 보세요.

가 나

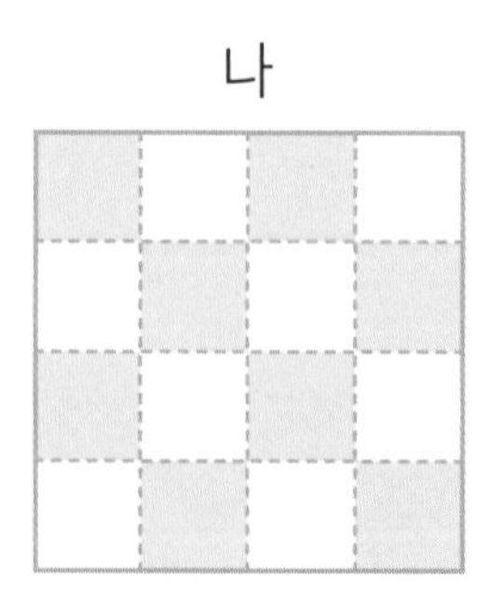

(　　　　　)

물음에 답하세요.

은기와 소미가 만든 딸기우유 양에 대한 딸기 원액 양의 비율을 각각 구하고, 더 진한 딸기우유를 만든 사람을 구해 보세요.

은기: 우유에 딸기 원액 120 mL를 넣어 딸기우유 300 mL를 만들었어.
소미: 우유에 딸기 원액 250 mL를 넣어 딸기우유 500 mL를 만들었어.

은기 ( ), 소미 ( )

더 진한 딸기우유를 만든 사람 ( )

1반과 2반의 전체 학생 수에 대한 여학생 수의 비율을 각각 구하고, 전체 학생 수에 대한 여학생 수의 비율이 더 높은 반을 구해 보세요.

1반: 전체 학생 30명 중 남학생이 12명입니다.
2반: 남학생이 11명, 여학생이 14명입니다.

1반 ( ), 2반 ( )

전체 학생 수에 대한 여학생 수의 비율이 더 높은 반 ( )

지도에서의 거리

유나가 마을 지도를 그렸습니다. 유나는 집에서 학교까지 실제 거리가 500 m인데 지도에는 2 cm로 그렸습니다. 집에서 학교까지 실제 거리에 대한 지도에서의 거리의 비율을 분수로 나타내어 보세요.

실제 거리의 단위는 m, 지도에서의 거리의 단위는 cm입니다.

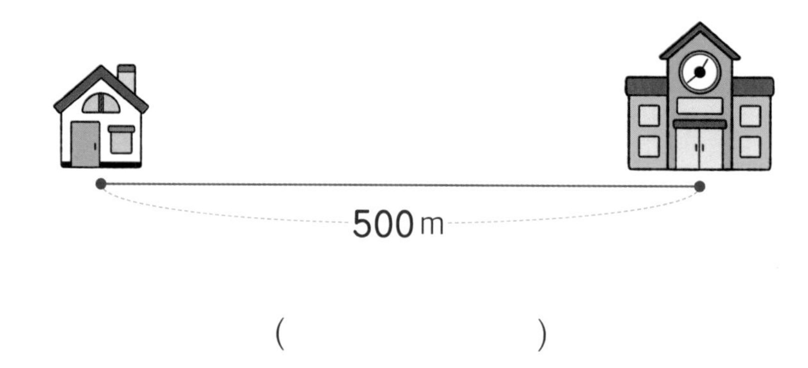

(   )

3
주차

백분율

1일차 백분율

빈칸에 알맞은 수를 써넣어 비율을 백분율로 나타내어 보세요.

$\frac{1}{2}=\frac{\square}{100}=\square\%$

$1.48=\frac{\square}{100}=\square\%$

$\frac{3}{4}=\frac{\square}{100}=\square\%$

$0.3=\frac{\square}{100}=\square\%$

$\frac{6}{5}$ ➡ $\frac{6}{5}\times 100=\square(\%)$

0.25 ➡ $0.25\times 100=\square(\%)$

$\frac{12}{15}$ ➡ $\frac{12}{15}\times\square=\square(\%)$

0.1 ➡ $0.1\times\square=\square(\%)$

비율 중에서 **기준량을 100으로 할 때의 비율**을 백분율이라고 합니다.
백분율은 기호 %를 사용하여 나타내고, %는 퍼센트라고 읽습니다.

$\frac{1}{100}=1\%$

$\frac{50}{100}=50\%$

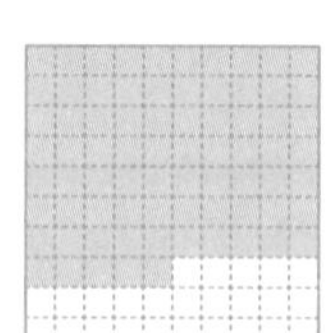

$\frac{75}{100}=75\%$

[분수와 소수를 백분율로 나타내는 방법]

1) 기준량이 100인 비율로 나타내기: $\frac{13}{25}=\frac{52}{100}=52\%$, $0.52=\frac{52}{100}=52\%$

2) 비율에 100을 곱해서 나온 값에 % 붙이기: $\frac{13}{25}\times 100=52(\%)$, $0.52\times 100=52(\%)$

월 일

비를 보고 비율을 분수, 소수, 백분율로 각각 나타내어 보세요.

비	분수	소수	백분율
31 : 100	$\frac{31}{100}$	0.31	31%
1 : 4			
13 대 10			
11과 25의 비			
34의 40에 대한 비			
50에 대한 51의 비			

2일차 분수, 소수, 백분율

관계있는 것끼리 이어 보세요.

$\frac{3}{100}$	0.35	53%
$\frac{3}{10}$	0.3	3%
$\frac{7}{20}$	0.03	30%
$\frac{53}{100}$	0.53	35%

80%	1.08	$\frac{4}{5}$
180%	0.8	$\frac{2}{25}$
8%	1.8	$\frac{27}{25}$
108%	0.08	$\frac{9}{5}$

월 일

비율이 다른 것 하나에 ╳표 하세요.

0.27 $\frac{27}{50}$ 27%	80% 0.8 $\frac{8}{25}$	$\frac{17}{20}$ 75% 0.85
$\frac{3}{5}$ 60% 0.06	0.5 $\frac{1}{2}$ 5%	25% 2.5 $\frac{1}{4}$
130% 1.3 $\frac{13}{100}$	$\frac{9}{10}$ 9% 0.9	0.12 $\frac{6}{5}$ 120%

3일차 색칠한 부분의 비율

그림을 보고 전체에 대한 색칠한 부분의 비율을 백분율로 나타내어 보세요.

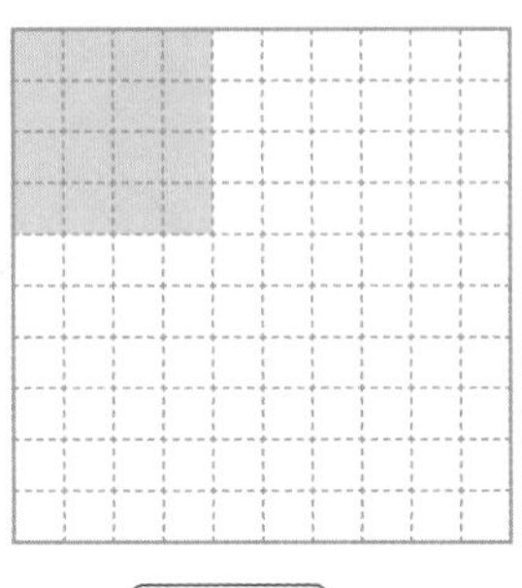

□ %

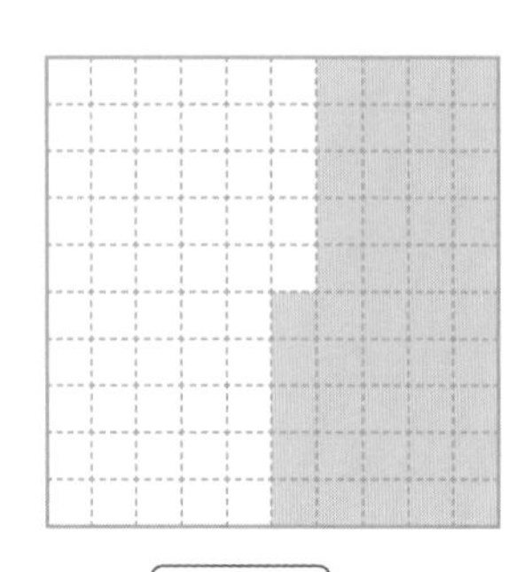

□ %

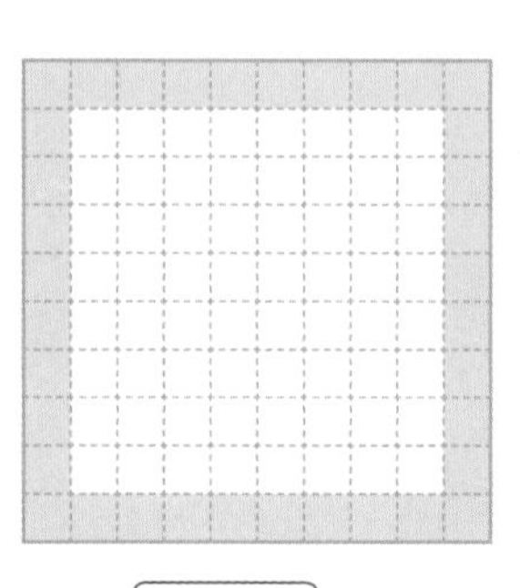

□ %

비율을 분수로 나타낸 다음 분수를 백분율로 나타냅니다.

□ %

□ %

□ %

□ %

□ %

□ %

□ %

□ %

□ %

그림을 보고 전체에 대한 색칠한 부분의 비율을 백분율로 나타내어 보세요.

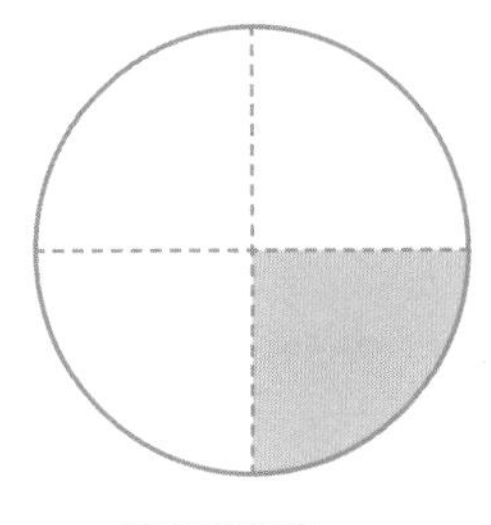

%

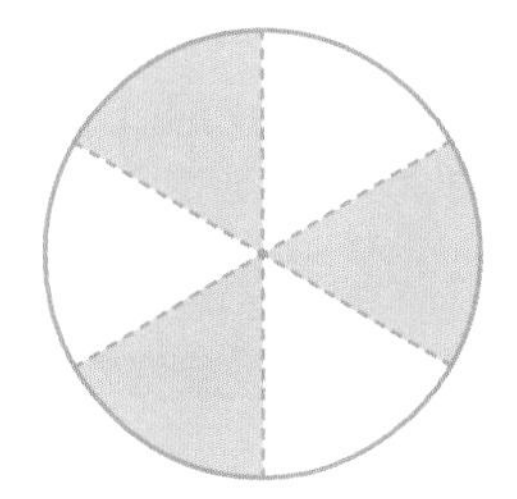

%

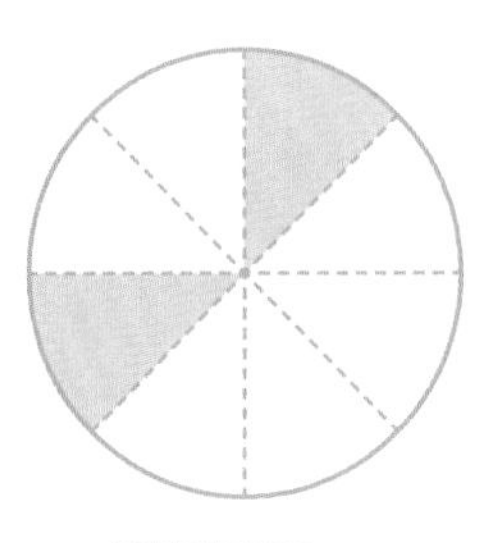

%

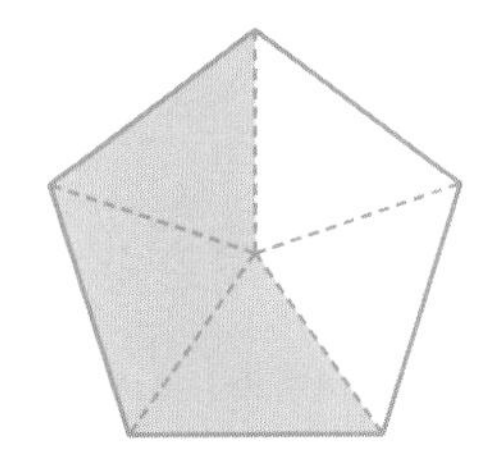

%

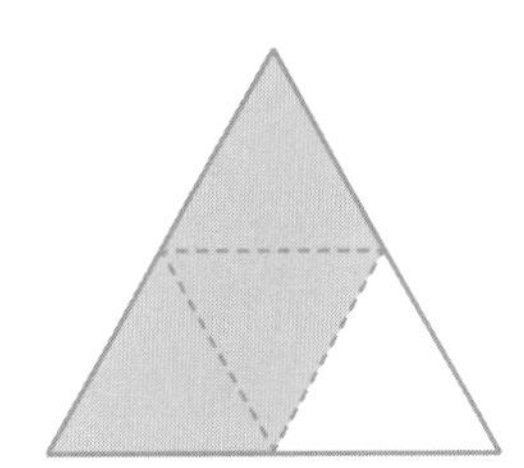

%

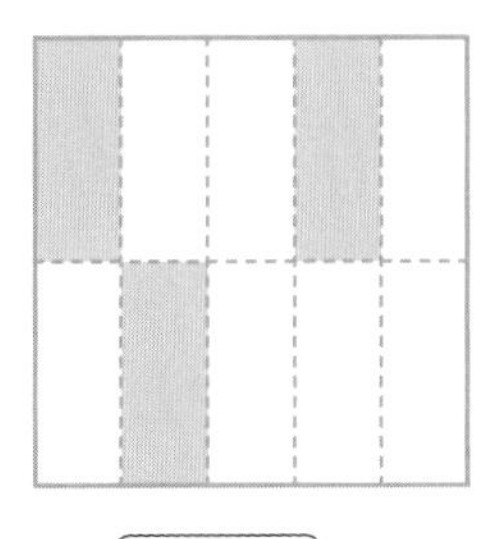

%

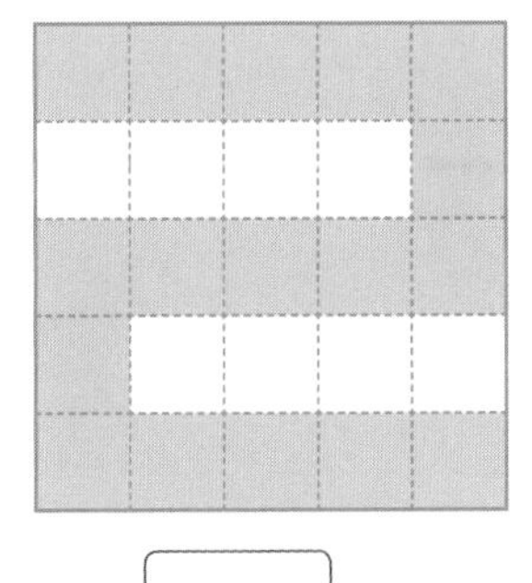

%

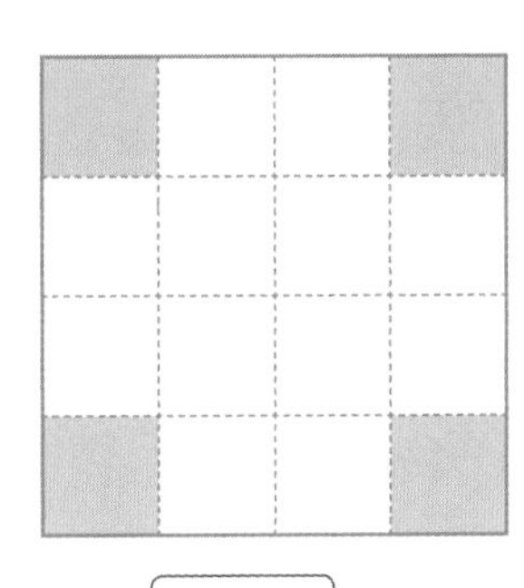

%

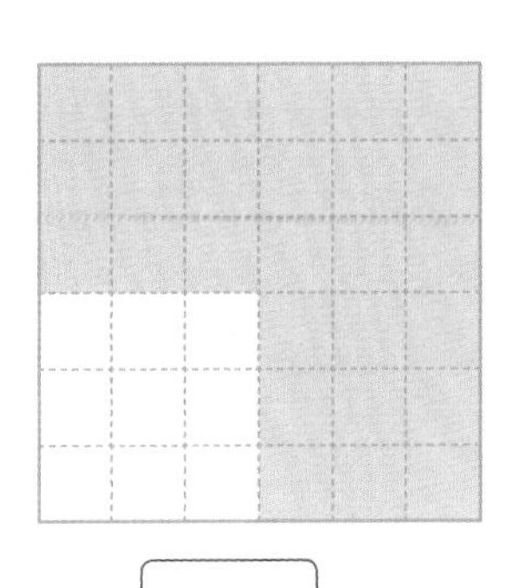

%

4일차 백분율 구하기 (1)

물음에 답하세요.

봉지에 사탕이 100개 들어 있었는데 그중 19개를 먹었습니다. 처음 있었던 사탕 수에 대한 먹은 사탕 수의 비율을 백분율로 나타내어 보세요.

( )%

빨간색 색종이 5장과 노란색 색종이 2장이 있습니다. 빨간색 색종이 수에 대한 노란색 색종이 수의 비율을 백분율로 나타내어 보세요.

( )%

분식집에서 떡볶이를 50인분 팔았고, 김밥을 36인분 팔았습니다. 팔린 김밥 수는 팔린 떡볶이 수의 몇 %일까요?

떡볶이 수를 100으로 보았을 때의 김밥 수를 구하는 것이므로 기준량은 떡볶이 수, 비교하는 양은 김밥 수입니다.

( )%

상자 안에 제비가 200개 들어 있는데 그중 당첨 제비는 6개입니다. 당첨 제비 수는 전체 제비 수의 몇 %일까요?

( )%

월 일

물음에 답하세요.

도준이는 퀴즈 대회에서 25문제를 풀어 8문제를 틀렸습니다. 도준이가 푼 문제 수에 대한 정답을 맞힌 문제 수의 비율을 백분율로 나타내어 보세요.

( )%

과수원에서 사과 375개와 복숭아 125개를 수확했습니다. 수확한 전체 과일 수에 대한 복숭아 수의 비율을 백분율로 나타내어 보세요.

( )%

선호는 630원짜리 젤리와 270원짜리 사탕을 사고 900원을 냈습니다. 사탕의 가격은 선호가 낸 돈의 몇 %일까요?

( )%

줄넘기 대회에 400명이 참가하여 그중 180명이 예선을 통과했습니다. 예선을 통과하지 못한 사람 수는 대회에 참가한 사람 수의 몇 %일까요?

( )%

5일차 백분율 구하기 (2)

넓이가 50 m^2인 텃밭에 직사각형 모양으로 16 m^2만큼 감자를 심으려고 합니다. 물음에 답하세요.

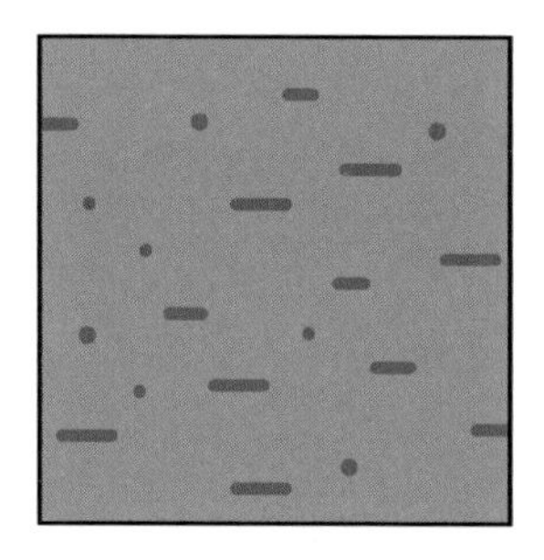

텃밭 넓이에 대한 감자를 심는 넓이의 비율을 분수로 나타내어 보세요.

(　　　　　)

텃밭 넓이에 대한 감자를 심는 넓이의 비율을 백분율로 나타내어 보세요.

(　　　　　)%

텃밭이 다음과 같다면 감자를 심는 넓이만큼 직사각형 모양으로 색칠해 보세요.

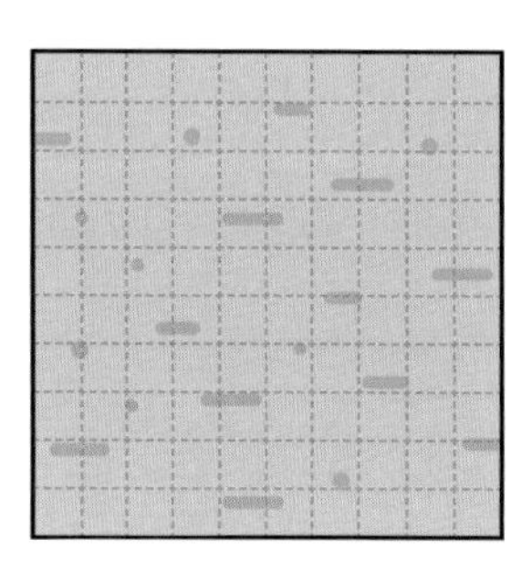

월 일

넓이가 400 cm^2인 색종이가 있습니다. 그중에서 정사각형 모양으로 256 cm^2만큼 잘라 종이학을 접었습니다. 물음에 답하세요.

색종이 넓이에 대한 자른 부분의 넓이의 비율을 소수로 나타내어 보세요.

( )

색종이 넓이에 대한 자른 부분의 넓이의 비율을 백분율로 나타내어 보세요.

( )%

색종이가 다음과 같다면 자른 부분의 넓이만큼 정사각형 모양으로 색칠해 보세요.

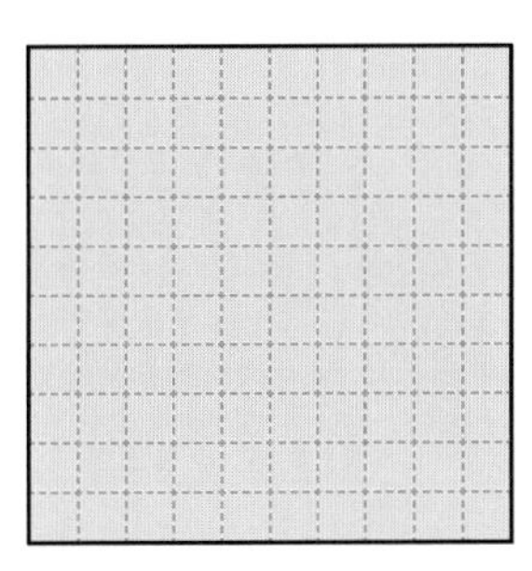

기준량과 비교하는 양

비교하는 양이 기준량보다 큰 경우를 따라 미로를 빠져나가 보세요.

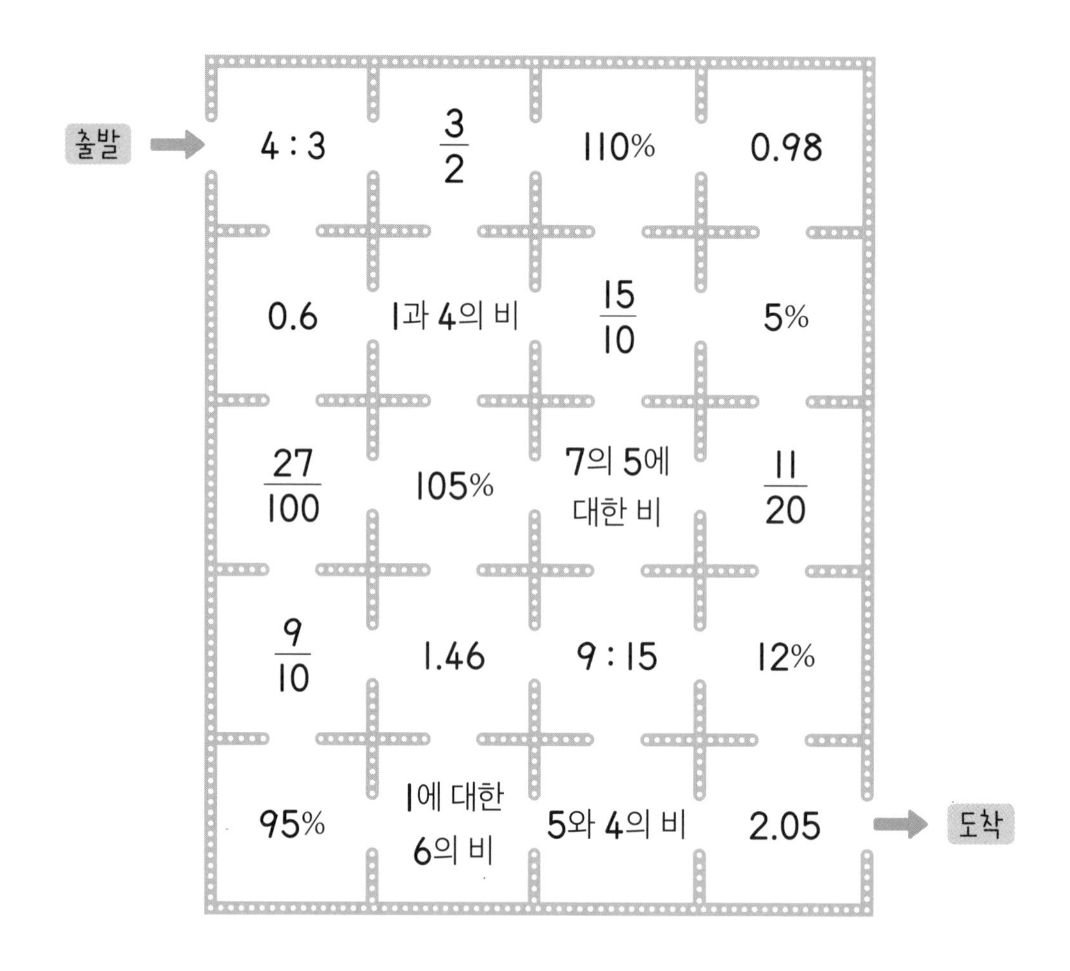

4 주차

백분율의 이용

1일차 할인율 (1)

할인 금액은 원래 가격의 몇 %인지 구해 보세요.

가격이 1000원인 공책을 100원 할인하여 900원에 판매합니다.

(1000원: 원래 가격, 100원: 할인 금액, 900원: 판매 가격)

➡ (　　　　　)%

가격이 500원인 구슬을 300원 할인하여 200원에 판매합니다.

➡ (　　　　　)%

박물관에서 5000원인 입장권을 1500원 할인하여 3500원에 판매합니다.

➡ (　　　　　)%

3000원짜리 빵을 쿠폰을 이용하여 450원 할인하여 2550원에 샀습니다.

➡ (　　　　　)%

할인율은 원래 가격에 대한 할인 금액의 비율입니다.
할인율에서 기준량은 원래 가격, 비교하는 양은 할인하는 금액입니다.

$$(\text{할인율})=\frac{(\text{비교하는 양})}{(\text{기준량})}=\frac{(\text{할인 금액})}{(\text{원래 가격})}$$

(원래 가격)−(판매 가격)=(할인 금액)입니다.

월 일

어린이 날에 동물원에서 입장료를 다음과 같이 할인하여 판매합니다. 물음에 답하세요.

구분	요금(원)
어른	~~5000원~~ → 4000원
어린이	~~4000원~~ → 3000원

어른과 어린이의 할인 금액은 각각 얼마인가요?

어른 ( )원, 어린이 ( )원

어른 요금의 할인율은 몇 %인가요?

( )%

어린이 요금의 할인율은 몇 %인가요?

( )%

어른과 어린이 요금 중 할인율이 더 높은 요금은 무엇인가요?

( )

2일차 할인율 (2)

판매 가격과 할인 금액은 각각 원래 가격의 몇 %인지 빈칸에 알맞은 수를 써넣으세요.

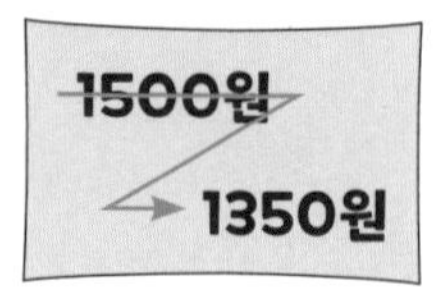

가격이 1500원인 사과를 할인하여 1350원에 판매합니다.

사과의 판매 가격은 원래 가격의 □%입니다.

사과의 할인 금액은 원래 가격의 □%입니다.

백분율의 전체는 100%입니다.

12000원

9000원

가격이 12000원인 축구공을 할인하여 9000원에 판매합니다.

축구공의 판매 가격은 원래 가격의 □%입니다.

축구공의 할인 금액은 원래 가격의 □%입니다.

[할인율을 구하는 방법]

1) 할인 금액을 구한 다음 원래 가격에 대한 할인 금액의 비율을 구합니다.

2) 원래 가격에 대한 판매 가격의 비율을 구한 다음 전체에서 비율만큼을 뺍니다.

월 일

모자와 장갑을 다음과 같이 할인하여 판매하고 있습니다. 물음에 답하세요.

모자의 판매 가격은 원래 가격의 몇 %인가요?

( )%

장갑의 판매 가격은 원래 가격의 몇 %인가요?

( )%

모자와 장갑의 할인율은 각각 몇 %인가요?

모자 ( )%, 장갑 ( )%

모자와 장갑 중 할인율이 더 높은 것은 무엇인가요?

( )

3일차 득표율

득표수는 전체 투표수의 몇 %인지 구해 보세요.

성아네 반 학생 20명이 참여한 반장 선거 투표에서 성아는 9표 받았습니다.
(20명: 전체 투표 수, 9표: 득표수)

➡ (   )%

학생 500명이 참여한 학생 회장 선거 투표에서 가 후보는 285표 받았습니다.

➡ (   )%

40명이 참여한 마을 대표 선거 투표에서 나 후보는 8표 받았습니다.

➡ (   )%

마을 사람 300명이 참여한 나무 심기 찬반 투표에서 267명이 찬성했습니다.

➡ (   )%

득표율은 전체 투표 수에 대한 해당 후보의 득표수의 비율입니다.
득표율에서 기준량은 전체 투표 수, 비교하는 양은 득표수입니다.

$$(\text{득표율}) = \frac{(\text{비교하는 양})}{(\text{기준량})} = \frac{(\text{득표수})}{(\text{전체 투표 수})}$$

전체 득표율은 100%입니다.

월 일

학생 회장 선거 투표에 학생 400명이 참여했습니다. 각 후보의 득표율이 다음과 같습니다. 물음에 답하세요.

후보	가	나	무효표
득표수(표)	216	176	**?**

가 후보의 득표율은 몇 %인가요? ( )%

나 후보의 득표율은 몇 %인가요? ( )%

가와 나 후보 중에서 누가 학생 회장으로 당선되나요? ( )

무효표는 전체 투표수의 몇 %인가요? ( )%

4일차 용액의 진하기

소금물 양에 대한 소금의 비율은 몇 %인지 구해 보세요.

물 45 g에 소금 5 g을 녹여 소금물 50 g을 만들었습니다.
물 양 / 소금 양 / 소금물 양

➡ (　　　　　)%

물 400 g에 소금 100 g을 녹여 소금물 500 g을 만들었습니다.

➡ (　　　　　)%

물 170 g에 소금 30 g을 녹여 소금물 200 g을 만들었습니다.

➡ (　　　　　)%

물 570 g에 소금 30 g을 녹여 소금물 600 g을 만들었습니다.

➡ (　　　　　)%

소금물의 진하기는 소금물 양에 대한 소금 양의 비율입니다.
소금물의 진하기에서 기준량은 소금물 양, 비교하는 양은 소금 양입니다.

$$(\text{소금물의 진하기})=\frac{(\text{비교하는 양})}{(\text{기준량})}=\frac{(\text{소금 양})}{(\text{소금물 양})}$$

(물 양)+(소금 양)=(소금물 양)입니다.

월 일

물음에 답하세요.

주성이는 물에 소금 45 g을 녹여 소금물 300 g을 만들었습니다. 주성이가 만든 소금물 양에 대한 소금 양의 비율은 몇 %일까요?

( )%

진영이는 물 60 g에 소금 20 g을 녹여 소금물 80 g을 만들었습니다. 진영이가 만든 소금물 양에 대한 소금 양의 비율은 몇 %일까요?

( )%

재유는 물 160 g에 소금 40 g을 녹여 소금물을 만들었습니다. 재유가 만든 소금물 양에 대한 소금 양의 비율은 몇 %일까요?

( )%

채은이는 물 475 g에 소금을 녹여 소금물 500 g을 만들었습니다. 채은이가 만든 소금물 양에 대한 소금 양의 비율은 몇 %일까요?

( )%

5일차 비율의 비교

물음에 답하세요.

반별로 퀴즈를 풀어 정답을 맞힌 학생 수를 조사하였습니다. 각 반의 정답률을 백분율로 나타내고 정답률이 더 높은 반을 구해 보세요.

	학생 수(명)	정답을 맞힌 학생 수(명)	정답률(%)
1반	25	13	
2반	20	11	

(　　　　　　)

태주는 소금 30 g을 녹여 소금물 150 g을 만들었고, 재이는 소금 80 g을 녹여 소금물 400 g을 만들었습니다. 알맞은 말에 ○표 하세요.

태주가 만든 소금물이 더 진합니다. .... (　　　　)

재이가 만든 소금물이 더 진합니다. .... (　　　　)

두 학생이 만든 소금물의 진하기가 같습니다. .... (　　　　)

물음에 답하세요.

세은, 하율, 주아가 농구공 던져 넣기를 했습니다. 세 학생 중 성공률이 가장 높은 학생은 누구일까요?

- 세은: 공을 20번 던져서 9번 넣었어.
- 하율: 나의 성공률은 $\frac{11}{25}$이야.
- 주아: 나의 성공률은 40%야.

( )

마을 대표 선거 투표에 마을 사람 500명이 참여했습니다. 가, 나, 다 후보 중 득표율이 가장 높은 후보는 누구일까요?

- 가 후보의 득표율은 28%입니다.
- 나 후보의 득표수는 190표입니다.
- 다 후보의 득표율은 $\frac{17}{50}$입니다.

( )

학용품의 할인율

문구점에서 풀, 지우개, 연필을 할인하여 팔고 있습니다. 할인율이 가장 높은 학용품은 무엇일까요?

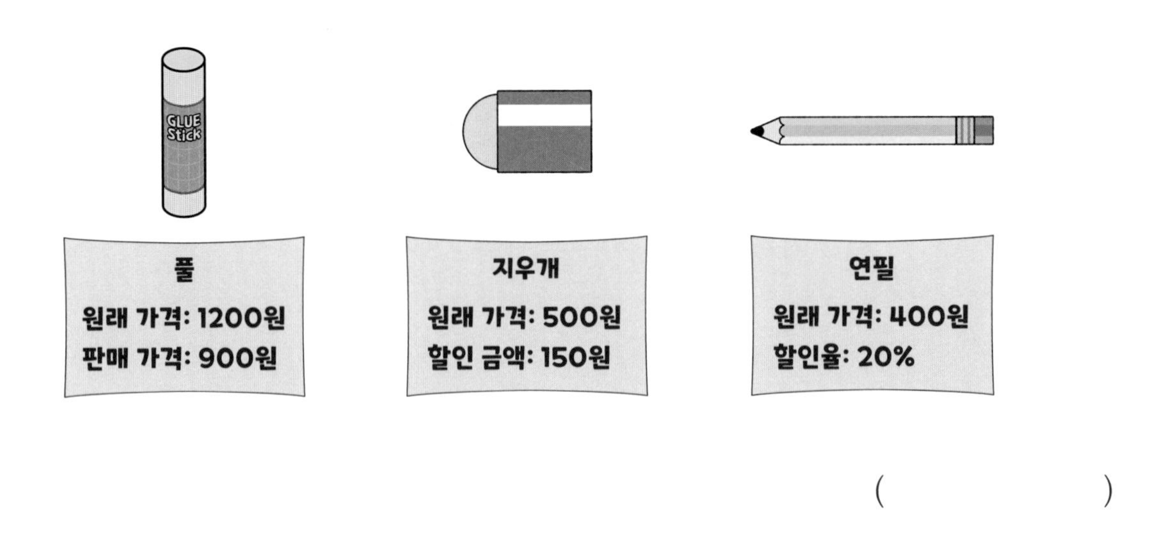

(　　　　　　)

링크 비교하는 양

LINK 1 비율대로 그리기

가로에 대한 세로의 비율이 같은 직사각형끼리 같은 색깔로 색칠해 보세요.

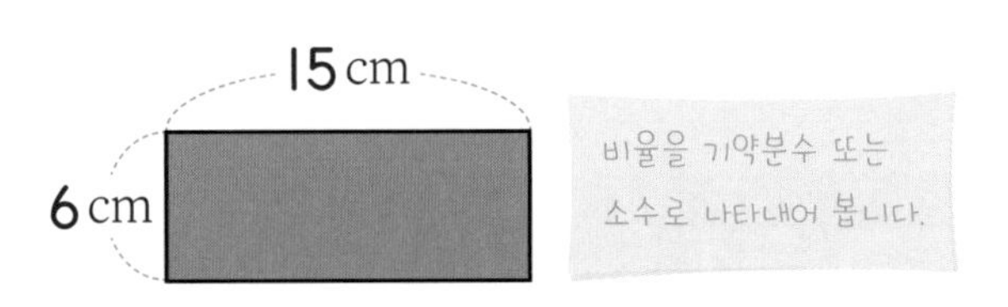

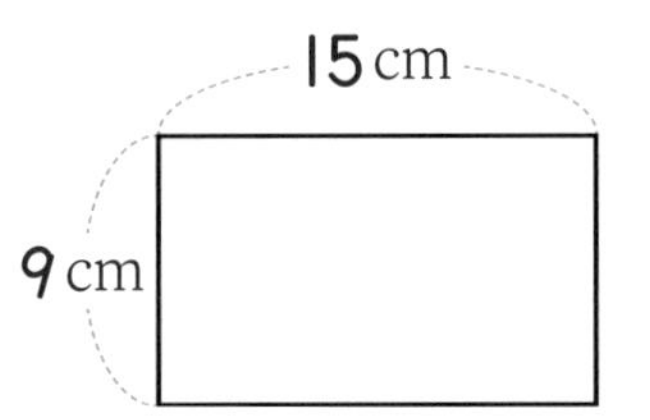

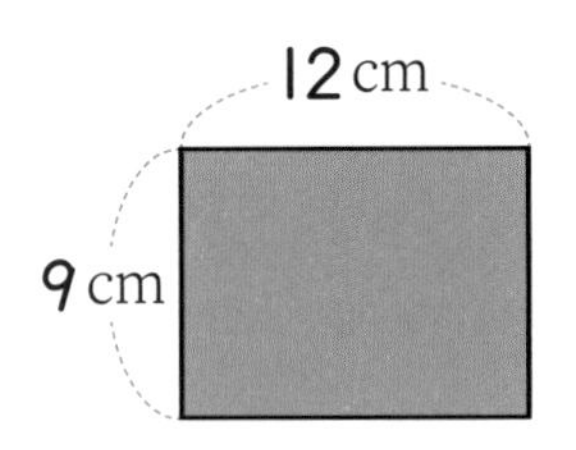

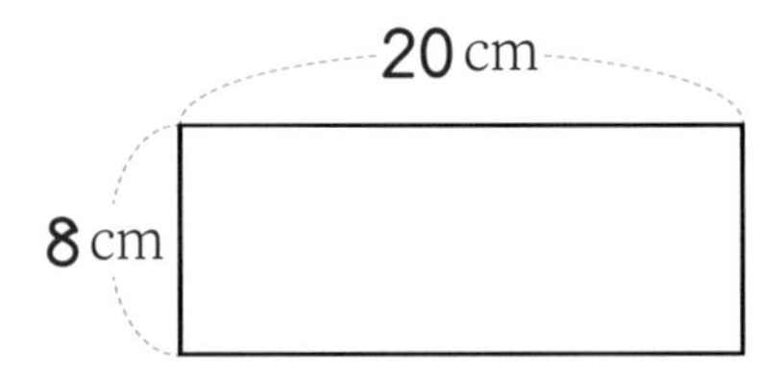

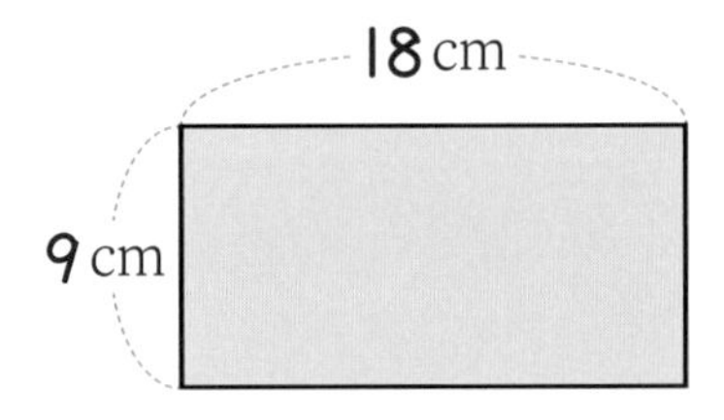

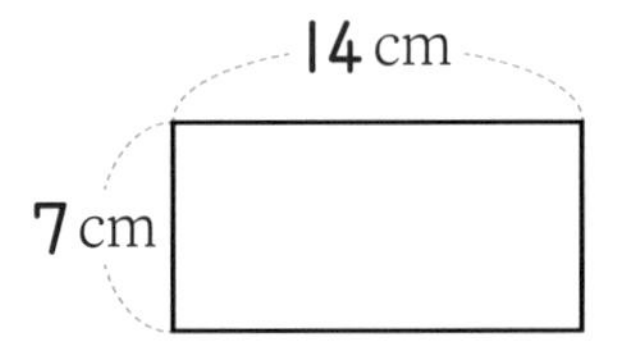

10 cm

6 cm

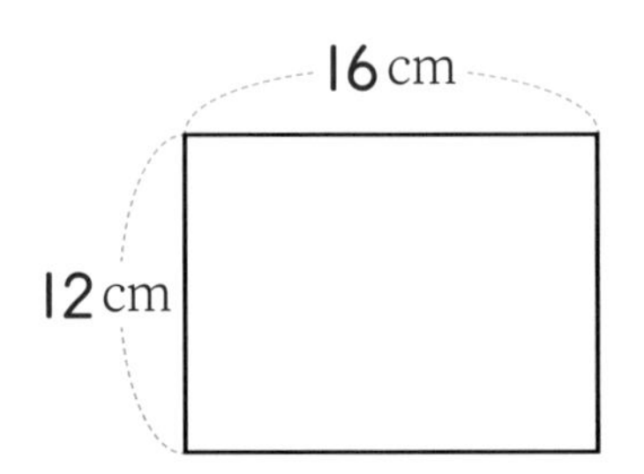

가로에 대한 세로의 비율이 다음과 같은 직사각형을 2개씩 그려 보세요.

가로에 대한 세로의 비율이 $\frac{2}{3}$인 직사각형

가로에 대한 세로의 비율이 0.2인 직사각형

가로에 대한 세로의 비율이 2인 직사각형

LINK 2

비율만큼 색칠하기

전체에 대한 색칠한 부분의 비율이 같은 것끼리 이어 보세요.

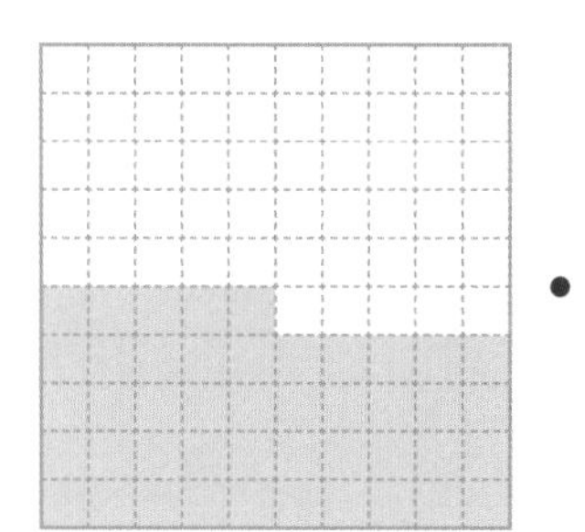

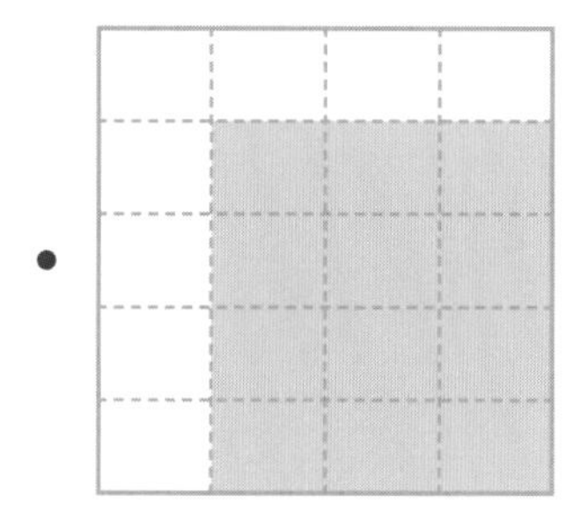

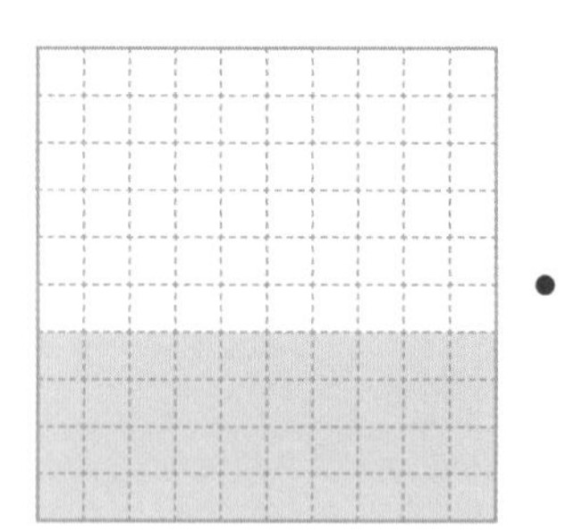

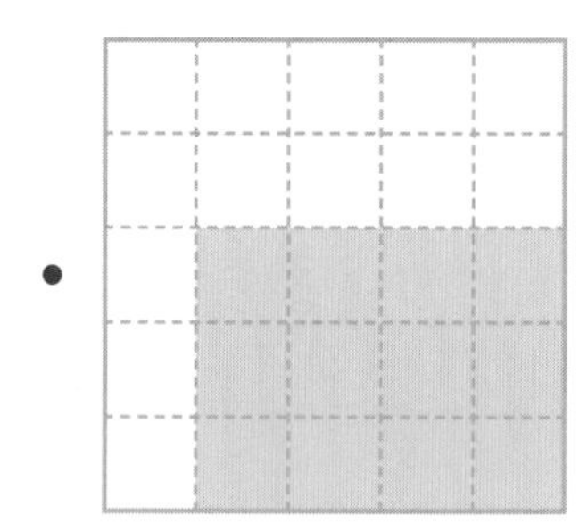

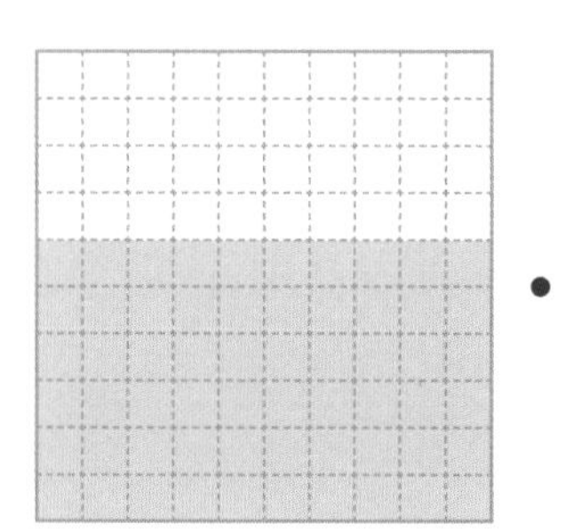

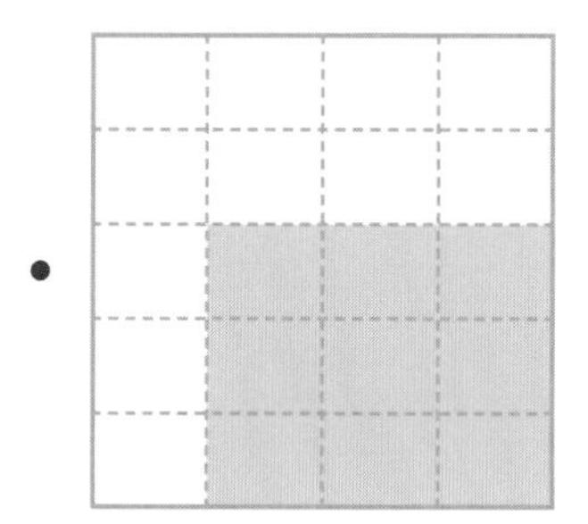

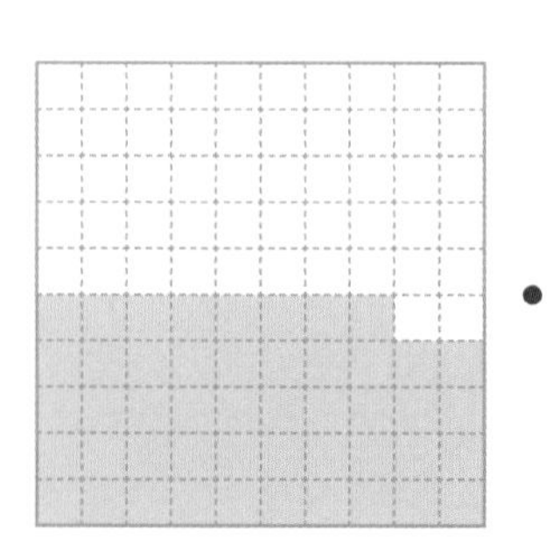

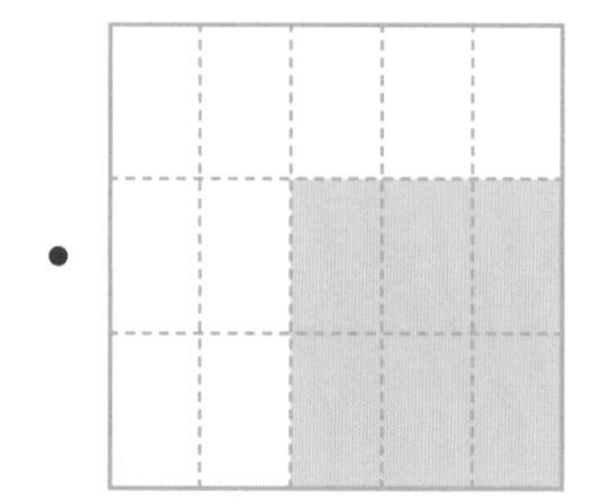

전체에 대한 색칠한 부분의 비율이 다음과 같도록 색칠해 보세요.

75%

기준량이 칸 수인 비율로 나타냅니다.

40%

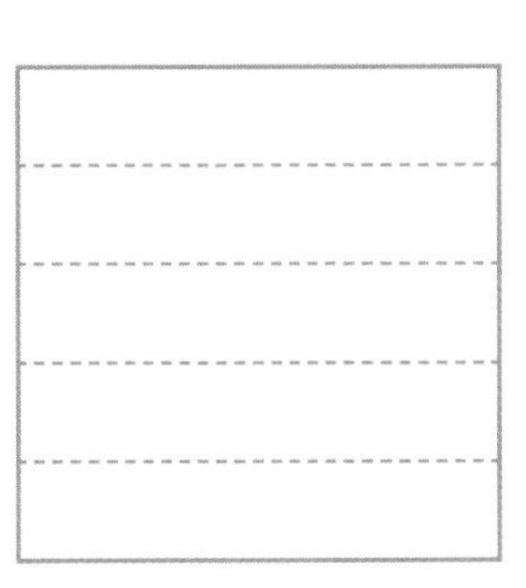

50%

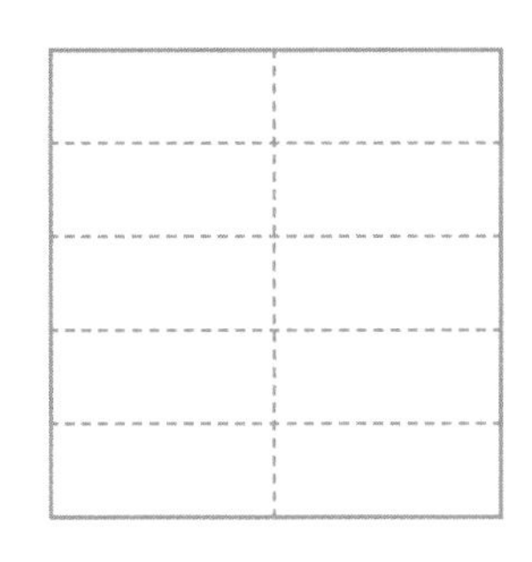

15%

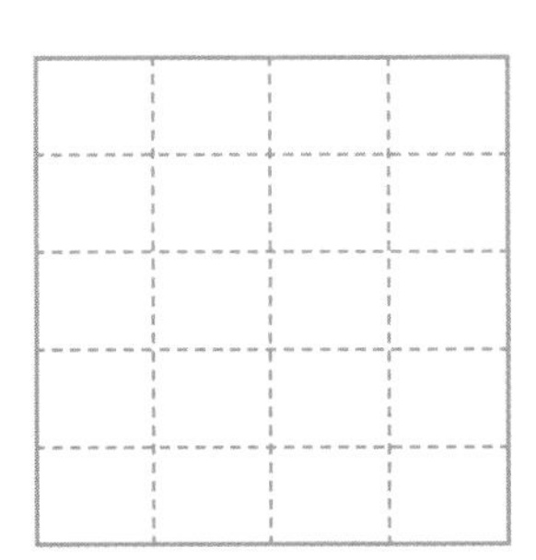

65%

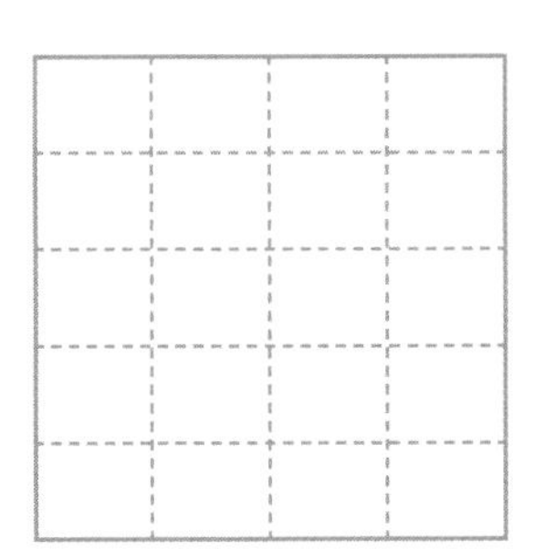

85%

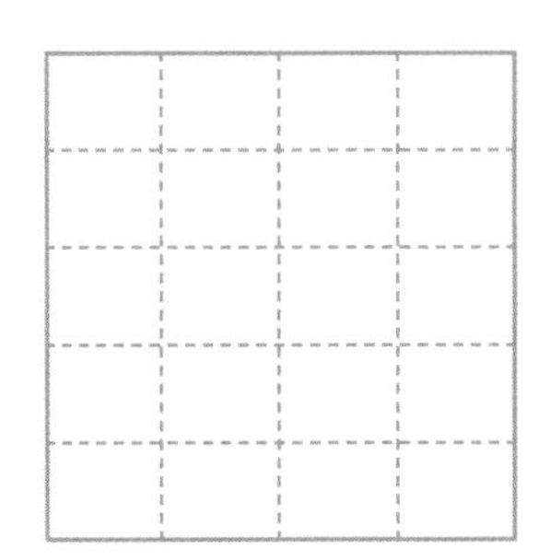

52%

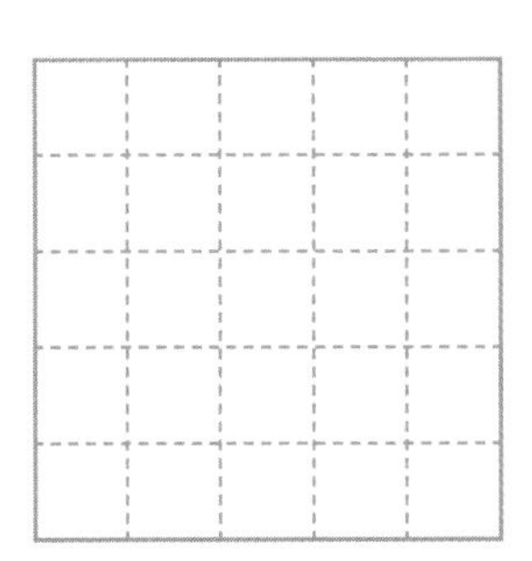

8%

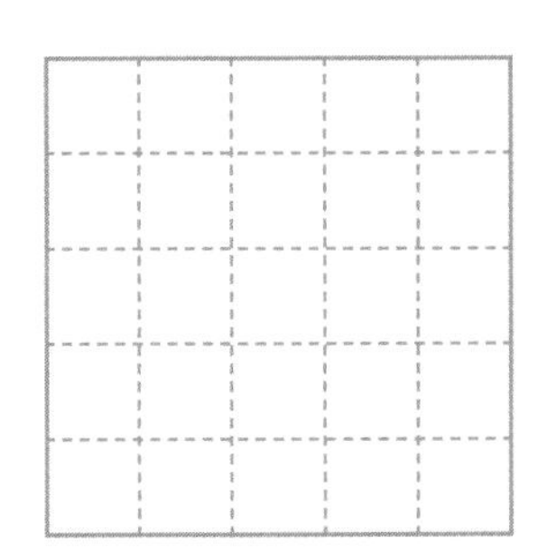

96%

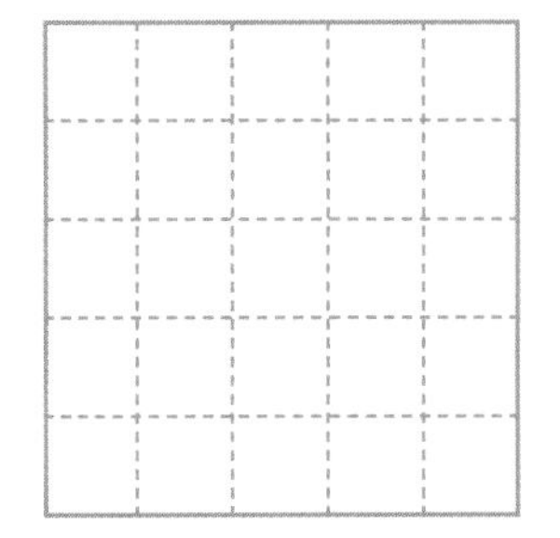

LINK 3 비교하는 양 구하기

물음에 답하세요.

강당에 학생 50명이 모여 있습니다. 그중 여학생의 비율이 40%입니다. 여학생은 몇 명일까요?

40%를 기준량이 50인 분수로 나타내어 봅니다. → $\frac{40}{100}=\frac{\square}{50}$

(　　　　　　)명

현성이가 투호에서 화살을 20개 던졌습니다. 현성이의 투호 성공률이 25%라면 화살을 몇 개 넣었을까요?

(　　　　　　)개

김밥 가게에서 김밥을 200줄 팔았습니다. 판매한 전체 김밥에 대한 판매한 야채 김밥의 비율이 30%라면 야채 김밥은 몇 줄 팔았을까요?

(　　　　　　)줄

학생 회장 선거 투표에 400명이 참여했습니다. 가 후보의 득표율이 55%라면 가 후보는 몇 표 받았을까요?

(　　　　　　)표

월 일

물음에 답하세요.

가격이 3000원인 연습장을 30% 할인하여 판매합니다. 연습장의 판매 가격은 얼마인지 알아보세요.

연습장의 판매 가격은 원래 가격의 몇 %인가요? (　　　　)%

백분율의 전체는 100%입니다.

연습장의 판매 가격은 얼마인가요? (　　　　)원

공장에서 만든 볼펜 500개 중 3%가 불량품이라고 합니다. 불량품을 제외하고 팔 수 있는 볼펜은 몇 개인지 알아보세요.

팔 수 있는 볼펜 수는 전체 볼펜 수의 몇 %인가요? (　　　　)%

팔 수 있는 볼펜은 몇 개인가요? (　　　　)개

memo

형성평가

형성평가 1회

1 빈칸에 알맞은 수를 써넣으세요.

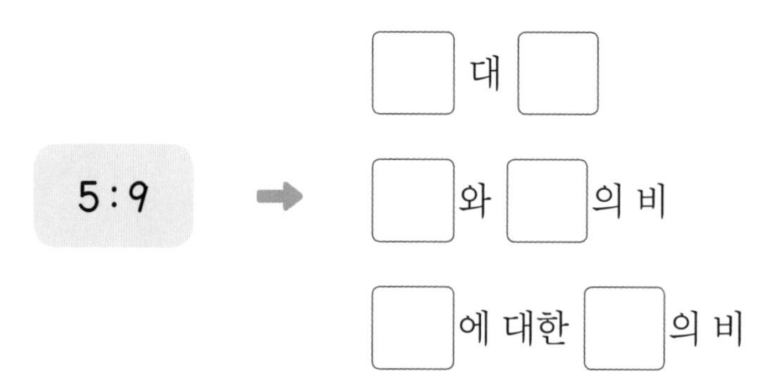

2 바르게 설명한 것의 기호를 써 보세요.

㉠ 비율 0.5를 백분율로 나타내면 5%입니다.
㉡ 백분율 70%를 분수로 나타내면 $\frac{7}{10}$입니다.
㉢ 비율 $\frac{3}{50}$을 백분율로 나타내면 3%입니다.

(　　　　　　)

3 희준이네 반 학생 26명 중에서 15명이 줄넘기 대회에 참가했습니다. 희준이네 반 학생 수에 대한 줄넘기 대회에 참가한 학생 수의 비를 써 보세요.

(　　　　　　)

4 전체에 대한 색칠한 부분의 비와 비율을 써 보세요.

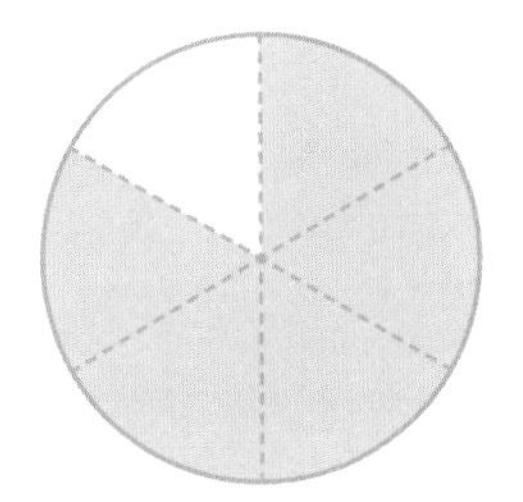

비	비율(분수)

5 끈 300 cm 중에서 선물을 포장하는 데 135cm를 사용했습니다. 처음 있던 끈의 길이에 대한 남은 끈의 길이는 몇 %일까요?

( )%

6 승진, 나현, 찬우가 축구공 차기를 했습니다. 성공률이 다른 친구 한 명의 이름을 써 보세요.

- 승진: 공을 15번 차서 골대에 12번 넣었어.
- 나현: 공을 25번 차서 골대에 21번 넣었어.
- 찬우: 나의 성공률은 $\frac{4}{5}$야.

( )

형성평가 2회

1 분수로 나타낸 비율을 백분율로 나타내어 보세요.

$\frac{3}{5}=\square\,\%$　　$\frac{7}{10}=\square\,\%$　　$\frac{9}{25}=\square\,\%$

2 관계있는 것끼리 이어 보세요.

20에 대한 18의 비 •	• 0.4
20의 50에 대한 비 •	• 1.8
18과 10의 비 •	• 0.9

3 공장에서 생산한 가방 500개 중 10개가 불량품이라고 합니다. 불량품의 수는 전체 가방 수의 몇 %일까요?

(　　　　　)%

4 비율 0.75를 기준량이 4인 비로 나타내어 보세요.

(　　　　　　　)

5 죽림 마을과 예송 마을의 인구와 넓이입니다. 두 마을 중 넓이에 대한 인구의 비율이 더 높은 곳은 어느 마을일까요?

마을의 인구와 넓이

마을	죽림 마을	예송 마을
인구(명)	9600	6500
넓이(km^2)	8	5

(　　　　　　　)

6 가게에서 컵과 접시를 할인하여 판매하고 있습니다. 컵과 접시 중 할인율이 더 높은 것은 무엇일까요?

- 가격이 5000원인 컵을 1500원 할인하여 판매합니다.
- 가격이 6000원인 접시를 할인하여 3900원에 판매합니다.

(　　　　　　　)

memo

초등 수학 핵심파트 집중 완성

교과특강

초6

F1

비와 비율

에듀히어로
Edu HERO

정답

F1

비와 비율

정답

1주차: 비와 비율

8쪽·9쪽

1일차 비

■ :를 사용하여 비를 써 보세요.

5 대 3 → (5 : 3)

2와 3의 비 → (2 : 3)

7의 4에 대한 비 → (7 : 4)

13에 대한 5의 비 → (5 : 13)

11 대 12 → (11 : 12)

1의 6에 대한 비 → (1 : 6)

8과 1의 비 → (8 : 1)

30에 대한 20의 비 → (20 : 30)

두 수를 나눗셈으로 비교하기 위해 기호 :을 사용하여 나타낸 것을 비라고 합니다.
두 수 2와 1을 비교할 때 2 : 1이라 쓰고 2 대 1이라고 읽습니다.
2 : 1은 2와 1의 비, 2의 1에 대한 비, 1에 대한 2의 비라고도 읽습니다.

2 대 1
2와 1의 비
2의 1에 대한 비
1에 대한 2의 비
→ 2 : 1

:의 오른쪽에 있는 수가 기준입니다.
2 : 1에서는 1이 기준, 1 : 2에서는 2가 기준이므로
2 : 1과 1 : 2는 서로 다른 비입니다.
비로 나타낼 때는 기준이 무엇인지 잘 살펴보아야 합니다.

비로 나타낼 때 '~에 대한'이 없으면 수를 차례로 쓰고,
'~에 대한'이 있으면 바로 앞의 수가 기준이므로 : 오른쪽에 씁니다.

8 교과특강_F1

■ 나머지와 다른 비를 나타내는 것 하나에 ×표 하세요.

4 : 3	3에 대한 4의 비	4 대 3	3과 4의 비 (×)
4 : 3	4 : 3	4 : 3	3 : 4

9 대 10	10의 9에 대한 비 (×)	9와 10의 비	10에 대한 9의 비
9 : 10	10 : 9	9 : 10	9 : 10

8과 5의 비 (×)	5 : 8	8에 대한 5의 비	5 대 8
8 : 5	5 : 8	5 : 8	5 : 8

1의 12에 대한 비	1 대 12	1에 대한 12의 비 (×)	1과 12의 비
1 : 12	1 : 12	12 : 1	1 : 12

13에 대한 7의 비	7과 13의 비	7 : 13	13의 7에 대한 비 (×)
7 : 13	7 : 13	7 : 13	13 : 7

1주차_비와 비율 9

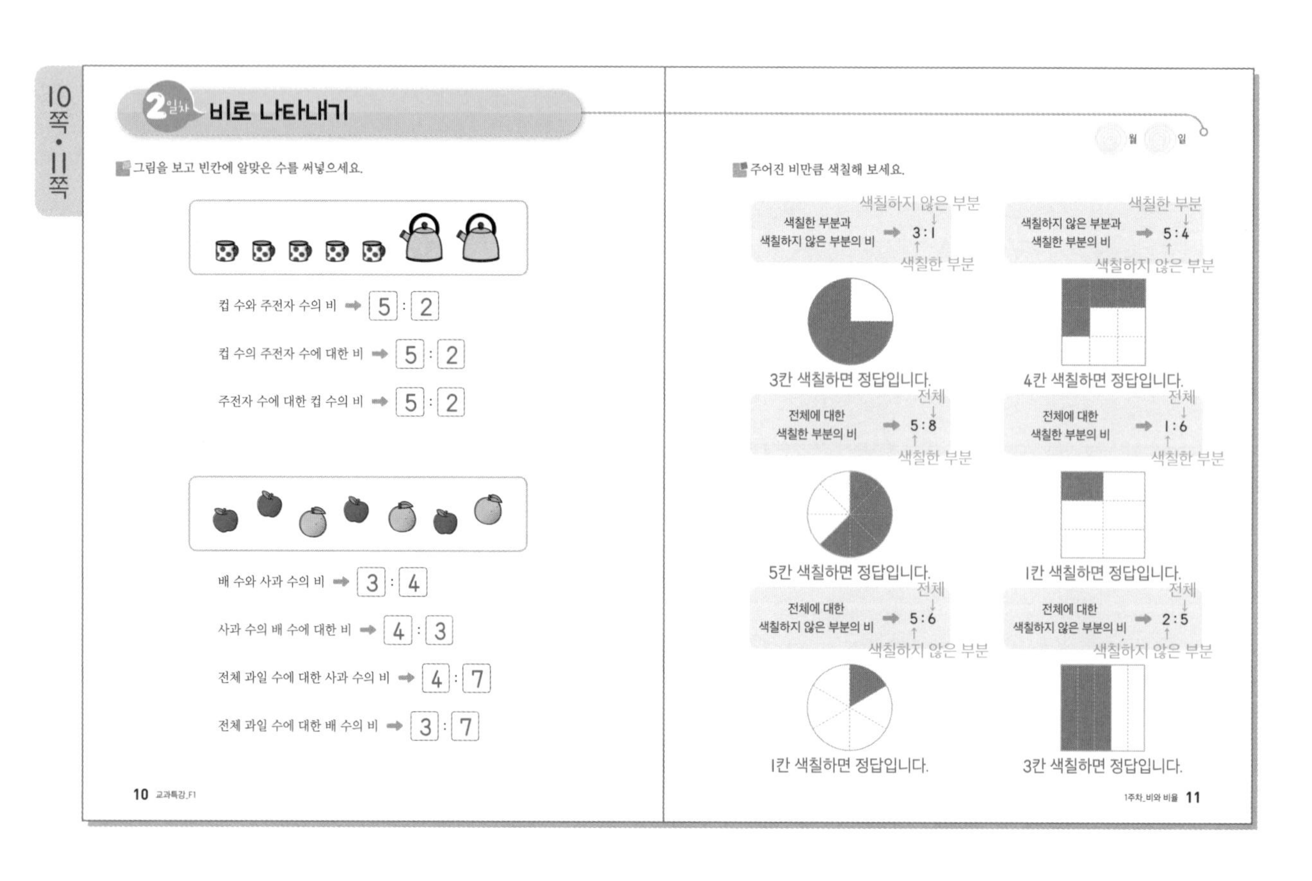
10쪽·11쪽

2일차 비로 나타내기

■ 그림을 보고 빈칸에 알맞은 수를 써넣으세요.

컵 수와 주전자 수의 비 → 5 : 2

컵 수의 주전자 수에 대한 비 → 5 : 2

주전자 수에 대한 컵 수의 비 → 5 : 2

배 수와 사과 수의 비 → 3 : 4

사과 수의 배 수에 대한 비 → 4 : 3

전체 과일 수에 대한 사과 수의 비 → 4 : 7

전체 과일 수에 대한 배 수의 비 → 3 : 7

10 교과특강_F1

■ 주어진 비만큼 색칠해 보세요.

색칠한 부분과 색칠하지 않은 부분의 비 → 3 : 1 (색칠한 부분 : 색칠하지 않은 부분)
3칸 색칠하면 정답입니다.

색칠하지 않은 부분과 색칠한 부분의 비 → 5 : 4 (색칠하지 않은 부분 : 색칠한 부분)
4칸 색칠하면 정답입니다.

전체에 대한 색칠한 부분의 비 → 5 : 8 (색칠한 부분 : 전체)
5칸 색칠하면 정답입니다.

전체에 대한 색칠한 부분의 비 → 1 : 6 (색칠한 부분 : 전체)
1칸 색칠하면 정답입니다.

전체에 대한 색칠하지 않은 부분의 비 → 5 : 6 (색칠하지 않은 부분 : 전체)
1칸 색칠하면 정답입니다.

전체에 대한 색칠하지 않은 부분의 비 → 2 : 5 (색칠하지 않은 부분 : 전체)
3칸 색칠하면 정답입니다.

1주차_비와 비율 11

12쪽·13쪽

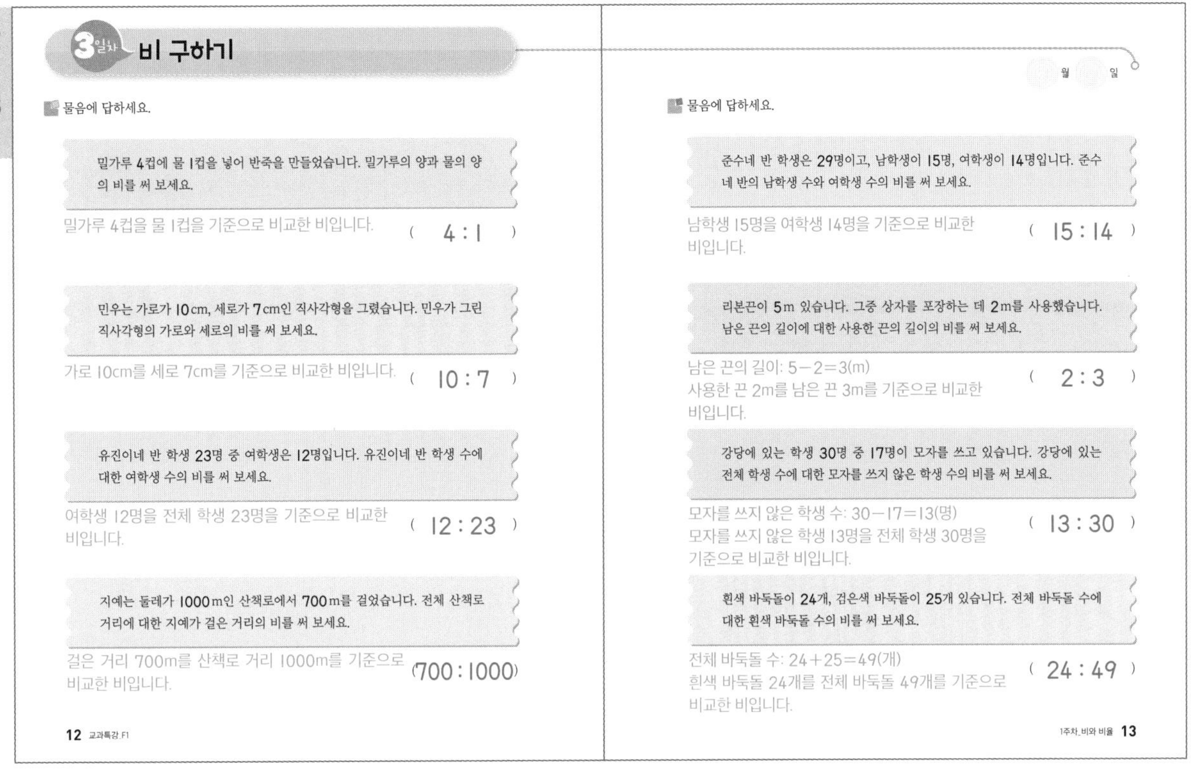

3일차 비 구하기

월 일

■ 물음에 답하세요.

밀가루 4컵에 물 1컵을 넣어 반죽을 만들었습니다. 밀가루의 양과 물의 양의 비를 써 보세요.

밀가루 4컵을 물 1컵을 기준으로 비교한 비입니다. (4 : 1)

민우는 가로가 10 cm, 세로가 7 cm인 직사각형을 그렸습니다. 민우가 그린 직사각형의 가로와 세로의 비를 써 보세요.

가로 10cm를 세로 7cm를 기준으로 비교한 비입니다. (10 : 7)

유진이네 반 학생 23명 중 여학생은 12명입니다. 유진이네 반 학생 수에 대한 여학생 수의 비를 써 보세요.

여학생 12명을 전체 학생 23명을 기준으로 비교한 비입니다. (12 : 23)

지예는 둘레가 1000 m인 산책로에서 700 m를 걸었습니다. 전체 산책로 거리에 대한 지예가 걸은 거리의 비를 써 보세요.

걸은 거리 700m를 산책로 거리 1000m를 기준으로 비교한 비입니다. (700 : 1000)

■ 물음에 답하세요.

준수네 반 학생은 29명이고, 남학생이 15명, 여학생이 14명입니다. 준수네 반의 남학생 수와 여학생 수의 비를 써 보세요.

남학생 15명을 여학생 14명을 기준으로 비교한 비입니다. (15 : 14)

리본끈이 5 m 있습니다. 그중 상자를 포장하는 데 2 m를 사용했습니다. 남은 끈의 길이에 대한 사용한 끈의 길이의 비를 써 보세요.

남은 끈의 길이: 5−2=3(m)
사용한 끈 2m를 남은 끈 3m를 기준으로 비교한 비입니다. (2 : 3)

강당에 있는 학생 30명 중 17명이 모자를 쓰고 있습니다. 강당에 있는 전체 학생 수에 대한 모자를 쓰지 않은 학생 수의 비를 써 보세요.

모자를 쓰지 않은 학생 수: 30−17=13(명)
모자를 쓰지 않은 학생 13명을 전체 학생 30명을 기준으로 비교한 비입니다. (13 : 30)

흰색 바둑돌이 24개, 검은색 바둑돌이 25개 있습니다. 전체 바둑돌 수에 대한 흰색 바둑돌 수의 비를 써 보세요.

전체 바둑돌 수: 24+25=49(개)
흰색 바둑돌 24개를 전체 바둑돌 49개를 기준으로 비교한 비입니다. (24 : 49)

14쪽·15쪽

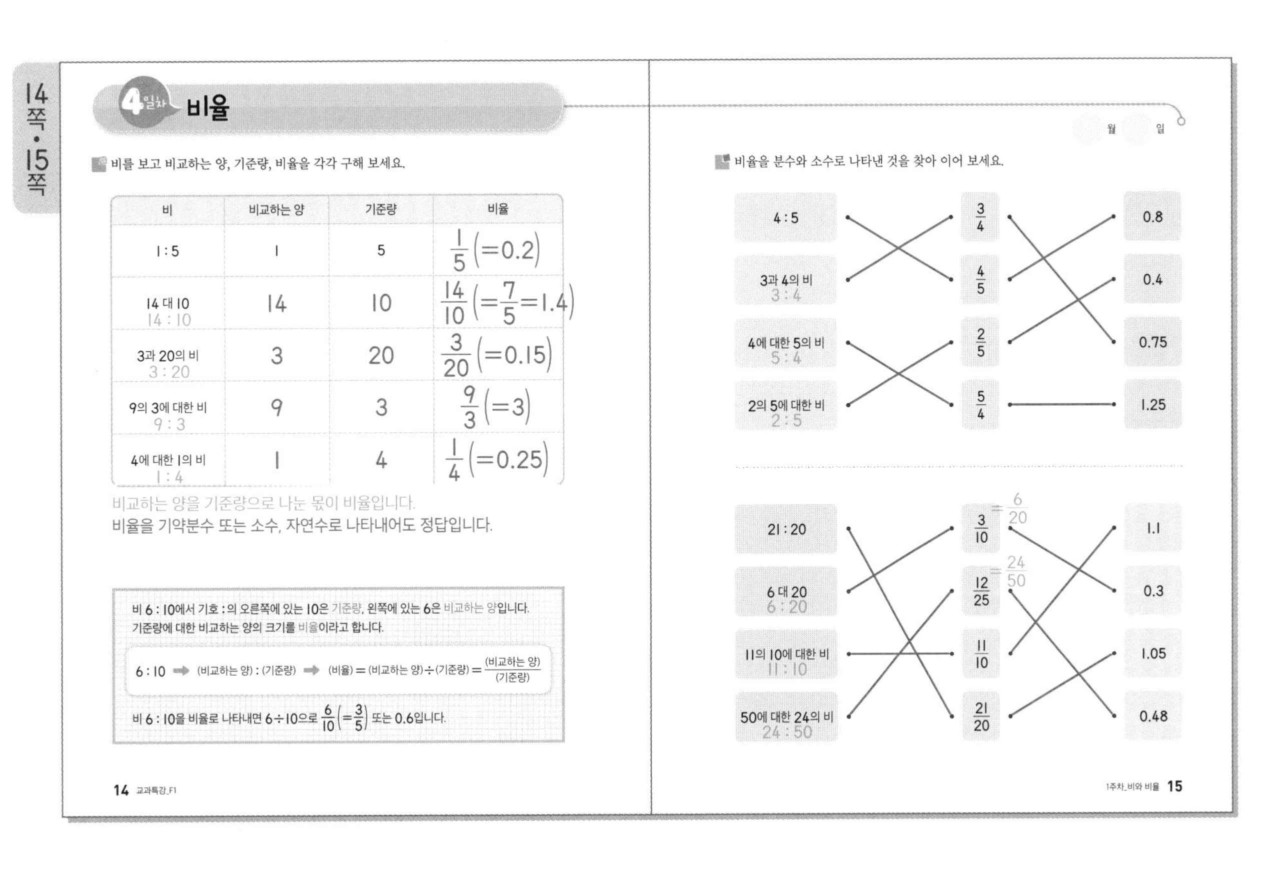

4일차 비율

월 일

■ 비를 보고 비교하는 양, 기준량, 비율을 각각 구해 보세요.

비	비교하는 양	기준량	비율
1 : 5	1	5	$\frac{1}{5}(=0.2)$
14 대 10 (14 : 10)	14	10	$\frac{14}{10}(=\frac{7}{5}=1.4)$
3과 20의 비 (3 : 20)	3	20	$\frac{3}{20}(=0.15)$
9의 3에 대한 비 (9 : 3)	9	3	$\frac{9}{3}(=3)$
4에 대한 1의 비 (1 : 4)	1	4	$\frac{1}{4}(=0.25)$

비교하는 양을 기준량으로 나눈 몫이 비율입니다.
비율을 기약분수 또는 소수, 자연수로 나타내어도 정답입니다.

비 6 : 10에서 기호 :의 오른쪽에 있는 10은 기준량, 왼쪽에 있는 6은 비교하는 양입니다.
기준량에 대한 비교하는 양의 크기를 비율이라고 합니다.

6 : 10 ➡ (비교하는 양) : (기준량) ➡ (비율) = (비교하는 양) ÷ (기준량) = $\frac{(비교하는 양)}{(기준량)}$

비 6 : 10을 비율로 나타내면 6÷10으로 $\frac{6}{10}\left(=\frac{3}{5}\right)$ 또는 0.6입니다.

■ 비율을 분수와 소수로 나타낸 것을 찾아 이어 보세요.

- 4 : 5 — $\frac{4}{5}$ — 0.8
- 3과 4의 비 (3 : 4) — $\frac{3}{4}$ — 0.75
- 4에 대한 5의 비 (5 : 4) — $\frac{5}{4}$ — 1.25
- 2의 5에 대한 비 (2 : 5) — $\frac{2}{5}$ — 0.4

- 21 : 20 — $\frac{21}{20}$ — 1.05
- 6 대 20 (6 : 20) — $\frac{3}{10}\left(=\frac{6}{20}\right)$ — 0.3
- 11의 10에 대한 비 (11 : 10) — $\frac{11}{10}$ — 1.1
- 50에 대한 24의 비 (24 : 50) — $\frac{12}{25}\left(=\frac{24}{50}\right)$ — 0.48

16쪽·17쪽

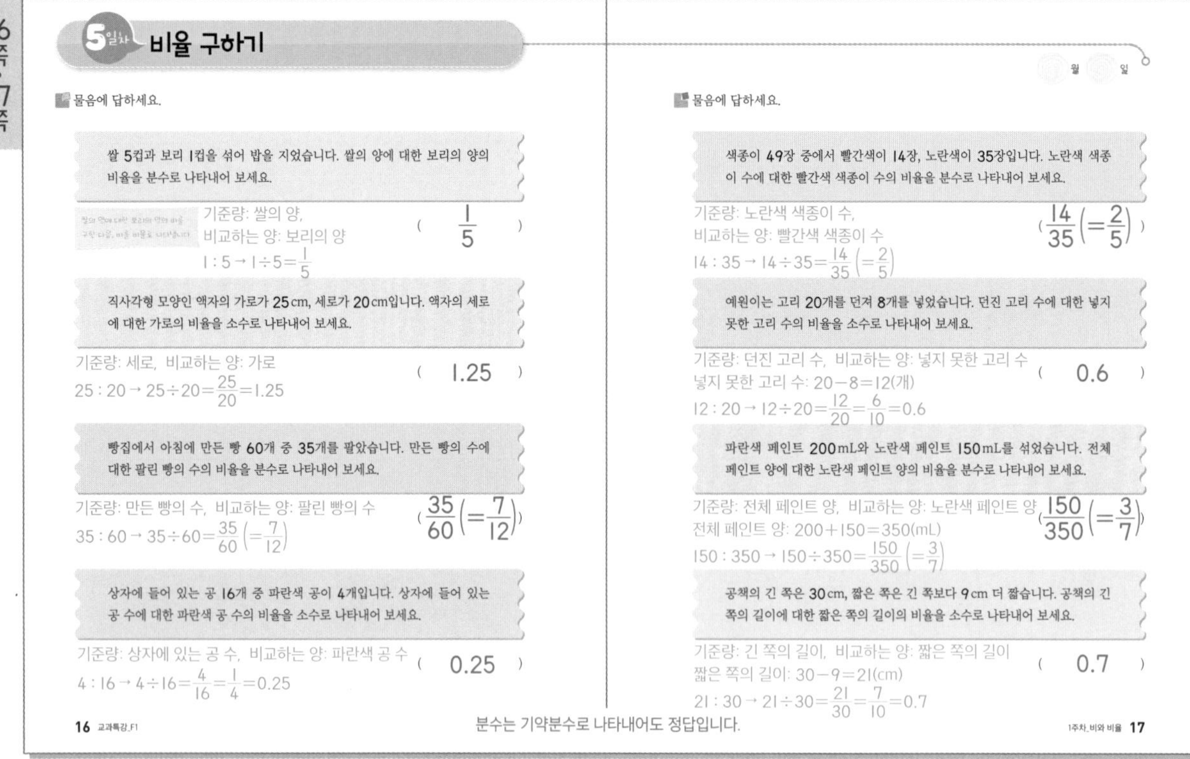

5일차 비율 구하기

월 일

물음에 답하세요.

쌀 5컵과 보리 1컵을 섞어 밥을 지었습니다. 쌀의 양에 대한 보리의 양의 비율을 분수로 나타내어 보세요.

기준량: 쌀의 양, 비교하는 양: 보리의 양

$1:5 \rightarrow 1 \div 5=\frac{1}{5}$

($\frac{1}{5}$)

직사각형 모양인 액자의 가로가 25 cm, 세로가 20 cm입니다. 액자의 세로에 대한 가로의 비율을 소수로 나타내어 보세요.

기준량: 세로, 비교하는 양: 가로

$25:20 \rightarrow 25 \div 20=\frac{25}{20}=1.25$

(1.25)

빵집에서 아침에 만든 빵 60개 중 35개를 팔았습니다. 만든 빵의 수에 대한 팔린 빵의 수의 비율을 분수로 나타내어 보세요.

기준량: 만든 빵의 수, 비교하는 양: 팔린 빵의 수

$35:60 \rightarrow 35 \div 60=\frac{35}{60}\left(=\frac{7}{12}\right)$

($\frac{35}{60}\left(=\frac{7}{12}\right)$)

상자에 들어 있는 공 16개 중 파란색 공이 4개입니다. 상자에 들어 있는 공 수에 대한 파란색 공 수의 비율을 소수로 나타내어 보세요.

기준량: 상자에 있는 공 수, 비교하는 양: 파란색 공 수

$4:16 \rightarrow 4 \div 16=\frac{4}{16}=\frac{1}{4}=0.25$

(0.25)

물음에 답하세요.

색종이 49장 중에서 빨간색이 14장, 노란색이 35장입니다. 노란색 색종이 수에 대한 빨간색 색종이 수의 비율을 분수로 나타내어 보세요.

기준량: 노란색 색종이 수, 비교하는 양: 빨간색 색종이 수

$14:35 \rightarrow 14 \div 35=\frac{14}{35}\left(=\frac{2}{5}\right)$

($\frac{14}{35}\left(=\frac{2}{5}\right)$)

예원이는 고리 20개를 던져 8개를 넣었습니다. 던진 고리 수에 대한 넣지 못한 고리 수의 비율을 소수로 나타내어 보세요.

기준량: 던진 고리 수, 비교하는 양: 넣지 못한 고리 수

넣지 못한 고리 수: 20−8=12(개)

$12:20 \rightarrow 12 \div 20=\frac{12}{20}=\frac{6}{10}=0.6$

(0.6)

파란색 페인트 200 mL와 노란색 페인트 150 mL를 섞었습니다. 전체 페인트 양에 대한 노란색 페인트 양의 비율을 분수로 나타내어 보세요.

기준량: 전체 페인트 양, 비교하는 양: 노란색 페인트 양

전체 페인트 양: 200+150=350(mL)

$150:350 \rightarrow 150 \div 350=\frac{150}{350}\left(=\frac{3}{7}\right)$

($\frac{150}{350}\left(=\frac{3}{7}\right)$)

공책의 긴 쪽은 30 cm, 짧은 쪽은 긴 쪽보다 9 cm 더 짧습니다. 공책의 긴 쪽의 길이에 대한 짧은 쪽의 길이의 비율을 소수로 나타내어 보세요.

기준량: 긴 쪽의 길이, 비교하는 양: 짧은 쪽의 길이

짧은 쪽의 길이: 30−9=21(cm)

$21:30 \rightarrow 21 \div 30=\frac{21}{30}=\frac{7}{10}=0.7$

(0.7)

분수는 기약분수로 나타내어도 정답입니다.

16 교과특강_F1 1주차_비와 비율 17

18쪽

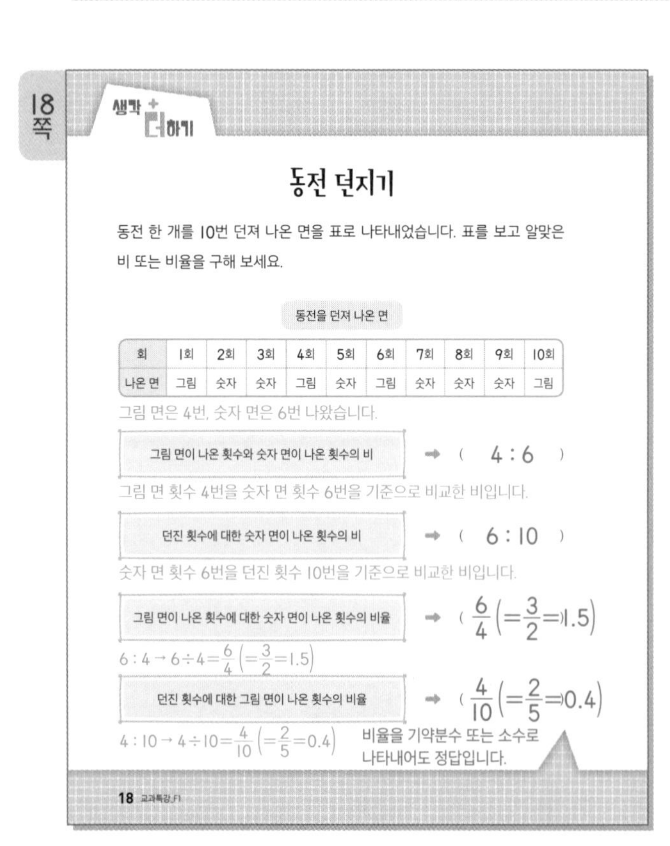

생각 더하기

동전 던지기

동전 한 개를 10번 던져 나온 면을 표로 나타내었습니다. 표를 보고 알맞은 비 또는 비율을 구해 보세요.

동전을 던져 나온 면

회	1회	2회	3회	4회	5회	6회	7회	8회	9회	10회
나온 면	그림	숫자	숫자	그림	숫자	그림	숫자	숫자	숫자	그림

그림 면은 4번, 숫자 면은 6번 나왔습니다.

그림 면이 나온 횟수와 숫자 면이 나온 횟수의 비 ➡ (4 : 6)

그림 면 횟수 4번을 숫자 면 횟수 6번을 기준으로 비교한 비입니다.

던진 횟수에 대한 숫자 면이 나온 횟수의 비 ➡ (6 : 10)

숫자 면 횟수 6번을 던진 횟수 10번을 기준으로 비교한 비입니다.

그림 면이 나온 횟수에 대한 숫자 면이 나온 횟수의 비율 ➡ ($\frac{6}{4}\left(=\frac{3}{2}=1.5\right)$)

$6:4 \rightarrow 6 \div 4=\frac{6}{4}\left(=\frac{3}{2}=1.5\right)$

던진 횟수에 대한 그림 면이 나온 횟수의 비율 ➡ ($\frac{4}{10}\left(=\frac{2}{5}=0.4\right)$)

$4:10 \rightarrow 4 \div 10=\frac{4}{10}\left(=\frac{2}{5}=0.4\right)$

비율을 기약분수 또는 소수로 나타내어도 정답입니다.

18 교과특강_F1

2주차: 비율의 이용

1일차 직사각형의 비율

20쪽·21쪽

직사각형의 가로에 대한 세로의 비와 비율, 세로에 대한 가로의 비와 비율을 각각 구해 보세요.

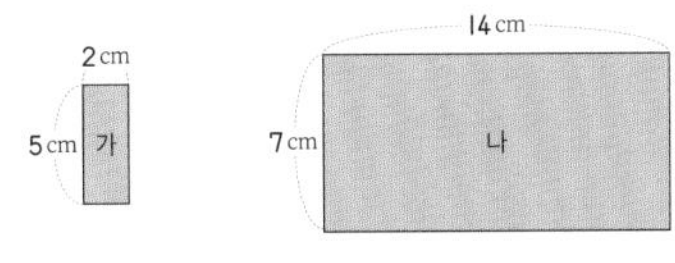

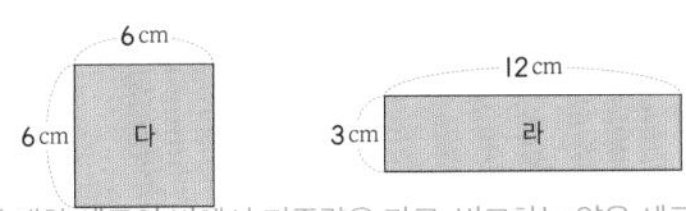

가로에 대한 세로의 비에서 기준량은 가로, 비교하는 양은 세로이고, 세로에 대한 가로의 비에서 기준량은 세로, 비교하는 양은 가로입니다.

직사각형	가로에 대한 세로의 비	가로에 대한 세로의 비율	세로에 대한 가로의 비	세로에 대한 가로의 비율
가	5 : 2	$\frac{5}{2}(=2.5)$	2 : 5	$\frac{2}{5}(=0.4)$
나	7 : 14	$\frac{7}{14}\left(=\frac{1}{2}=0.5\right)$	14 : 7	$\frac{14}{7}(=2)$
다	6 : 6	$\frac{6}{6}(=1)$	6 : 6	$\frac{6}{6}(=1)$
라	3 : 12	$\frac{3}{12}\left(=\frac{1}{4}=0.25\right)$	12 : 3	$\frac{12}{3}(=4)$

비율을 기약분수 또는 소수, 자연수로 나타내어도 정답입니다.

월 일

직사각형을 보고 물음에 답하세요.

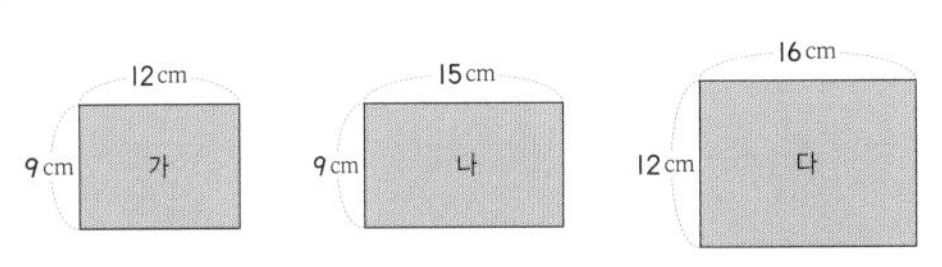

가의 가로에 대한 세로의 비율을 분수와 소수로 각각 나타내어 보세요.

$9 : 12 \rightarrow 9 \div 12 = \frac{9}{12}\left(=\frac{3}{4}=0.75\right)$

($\frac{9}{12}\left(=\frac{3}{4}\right)$, 0.75)

나의 가로에 대한 세로의 비율을 분수와 소수로 각각 나타내어 보세요.

$9 : 15 \rightarrow 9 \div 15 = \frac{9}{15}\left(=\frac{3}{5}=0.6\right)$

($\frac{9}{15}\left(=\frac{3}{5}\right)$, 0.6)

다의 가로에 대한 세로의 비율을 분수와 소수로 각각 나타내어 보세요.

$12 : 16 \rightarrow 12 \div 16 = \frac{12}{16}\left(=\frac{3}{4}=0.75\right)$

($\frac{12}{16}\left(=\frac{3}{4}\right)$, 0.75)

가로에 대한 세로의 비율이 같은 두 직사각형의 기호를 각각 써 보세요.

가와 다의 가로와 세로는 다르지만 비율은 같습니다. 기준량과 비교하는 양이 달라도 비율은 같을 수 있습니다.

(가 , 다)

2일차 거리와 시간

22쪽·23쪽

걸린 시간에 대한 간 거리의 비율을 구해 보세요.

상희가 100 m를 달리는 데 20초가 걸렸습니다. ➡ ($\frac{100}{20}(=5)$)

$100 : 20 \rightarrow 100 \div 20 = \frac{100}{20}(=5)$

기차가 2시간 동안 300 km를 달렸습니다. ➡ ($\frac{300}{2}(=150)$)

$300 : 2 \rightarrow 300 \div 2 = \frac{300}{2}(=150)$

개미가 30 cm를 기어가는 데 40초가 걸렸습니다. ➡ ($\frac{30}{40}\left(=\frac{3}{4}=0.75\right)$)

$30 : 40 \rightarrow 30 \div 40 = \frac{30}{40}\left(=\frac{3}{4}=0.75\right)$

자동차로 320 km를 가는 데 4시간이 걸렸습니다. ➡ ($\frac{320}{4}(=80)$)

$320 : 4 \rightarrow 320 \div 4 = \frac{320}{4}(=80)$

유건이는 25분 동안 1000 m를 걸었습니다. ➡ ($\frac{1000}{25}(=40)$)

$1000 : 25 \rightarrow 1000 \div 25 = \frac{1000}{25}(=40)$

걸린 시간에 대한 간 거리의 비율을 구할 때 기준량은 걸린 시간, 비교하는 양은 간 거리입니다.

$$(\text{비율}) = \frac{(\text{비교하는 양})}{(\text{기준량})} = \frac{(\text{간 거리})}{(\text{걸린 시간})}$$

걸린 시간에 대한 간 거리의 비율은 단위 시간 동안 간 거리를 나타내고, 비율이 클수록 빠릅니다.

비율을 기약분수 또는 소수, 자연수로 나타내어도 정답입니다.

월 일

승하와 다현이의 오래달리기 기록을 나타낸 표입니다. 물음에 답하세요.

오래달리기 기록

이름	승하	다현
달린 거리(m)	600	800
걸린 시간(초)	200	250

표에서 걸린 시간에 대한 달린 거리의 비율은 1초 동안 달린 거리를 말합니다. 즉, 승하는 1초에 3m, 다현이는 1초에 3.2m를 달렸다는 것을 뜻합니다.

승하의 기록에서 걸린 시간에 대한 달린 거리의 비율은 얼마인가요?

$600 : 200 \rightarrow 600 \div 200 = \frac{600}{200}(=3)$

($\frac{600}{200}(=3)$)

다현이의 기록에서 걸린 시간에 대한 달린 거리의 비율은 얼마인가요?

$800 : 250 \rightarrow 800 \div 250 = \frac{800}{250}\left(=\frac{16}{5}=3.2\right)$

($\frac{800}{250}\left(=\frac{16}{5}=3.2\right)$)

승하와 다현이 중 누가 더 빠른가요?

다현이의 기록이 승하의 기록보다 걸린 시간에 대한 달린 거리의 비율이 더 높으므로 다현이가 더 빠르다고 할 수 있습니다.

(다현)

24쪽·25쪽

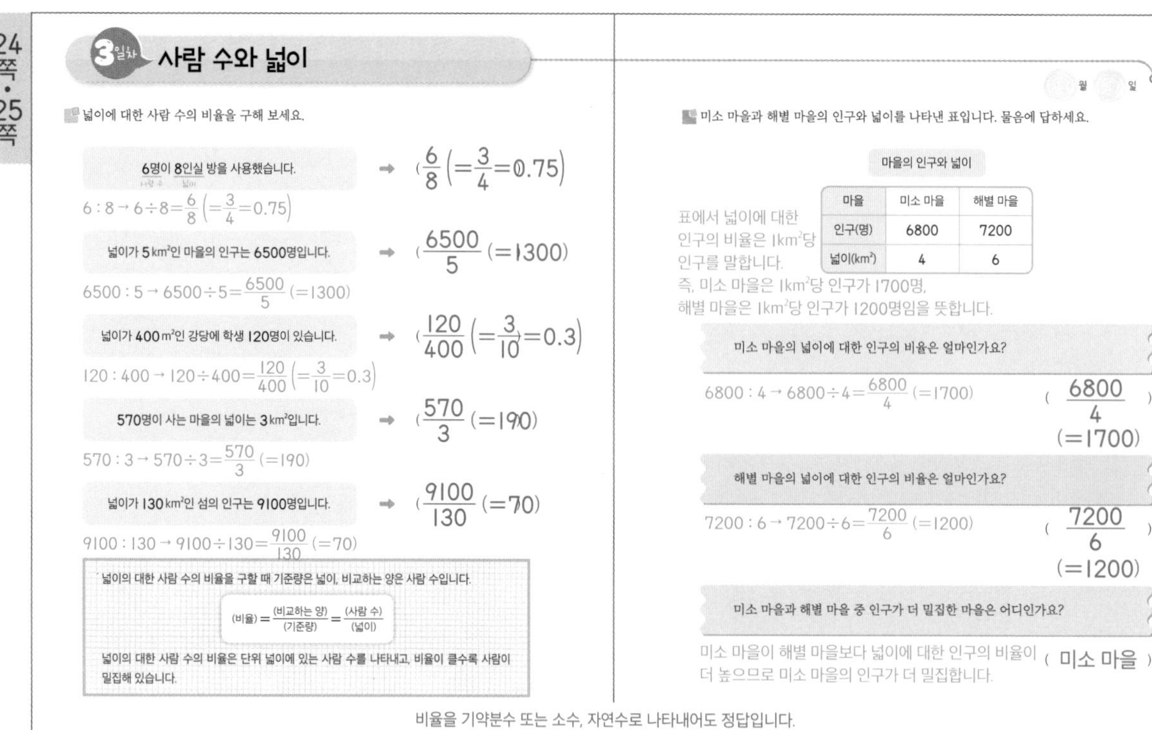

3일차 사람 수와 넓이

넓이에 대한 사람 수의 비율을 구해 보세요.

6명이 8인실 방을 사용했습니다. → $\left(\frac{6}{8}\left(=\frac{3}{4}=0.75\right)\right)$

$6:8 \rightarrow 6\div8=\frac{6}{8}\left(=\frac{3}{4}=0.75\right)$

넓이가 5 km²인 마을의 인구는 6500명입니다. → $\left(\frac{6500}{5}(=1300)\right)$

$6500:5 \rightarrow 6500\div5=\frac{6500}{5}(=1300)$

넓이가 400 m²인 강당에 학생 120명이 있습니다. → $\left(\frac{120}{400}\left(=\frac{3}{10}=0.3\right)\right)$

$120:400 \rightarrow 120\div400=\frac{120}{400}\left(=\frac{3}{10}=0.3\right)$

570명이 사는 마을의 넓이는 3 km²입니다. → $\left(\frac{570}{3}(=190)\right)$

$570:3 \rightarrow 570\div3=\frac{570}{3}(=190)$

넓이가 130 km²인 섬의 인구는 9100명입니다. → $\left(\frac{9100}{130}(=70)\right)$

$9100:130 \rightarrow 9100\div130=\frac{9100}{130}(=70)$

넓이의 대한 사람 수의 비율을 구할 때 기준량은 넓이, 비교하는 양은 사람 수입니다.

$(\text{비율})=\frac{(\text{비교하는 양})}{(\text{기준량})}=\frac{(\text{사람 수})}{(\text{넓이})}$

넓이의 대한 사람 수의 비율은 단위 넓이에 있는 사람 수를 나타내고, 비율이 클수록 사람이 밀집해 있습니다.

미소 마을과 해별 마을의 인구와 넓이를 나타낸 표입니다. 물음에 답하세요.

마을의 인구와 넓이

마을	미소 마을	해별 마을
인구(명)	6800	7200
넓이(km²)	4	6

표에서 넓이에 대한 인구의 비율은 1km²당 인구를 말합니다.
즉, 미소 마을은 1km²당 인구가 1700명, 해별 마을은 1km²당 인구가 1200명임을 뜻합니다.

미소 마을의 넓이에 대한 인구의 비율은 얼마인가요?

$6800:4 \rightarrow 6800\div4=\frac{6800}{4}(=1700)$ $\left(\frac{6800}{4}(=1700)\right)$

해별 마을의 넓이에 대한 인구의 비율은 얼마인가요?

$7200:6 \rightarrow 7200\div6=\frac{7200}{6}(=1200)$ $\left(\frac{7200}{6}(=1200)\right)$

미소 마을과 해별 마을 중 인구가 더 밀집한 마을은 어디인가요?

미소 마을이 해별 마을보다 넓이에 대한 인구의 비율이 더 높으므로 미소 마을의 인구가 더 밀집합니다. (미소 마을)

비율을 기약분수 또는 소수, 자연수로 나타내어도 정답입니다.

24 교과특강_F1 2주차_비율의 이용 25

26쪽·27쪽

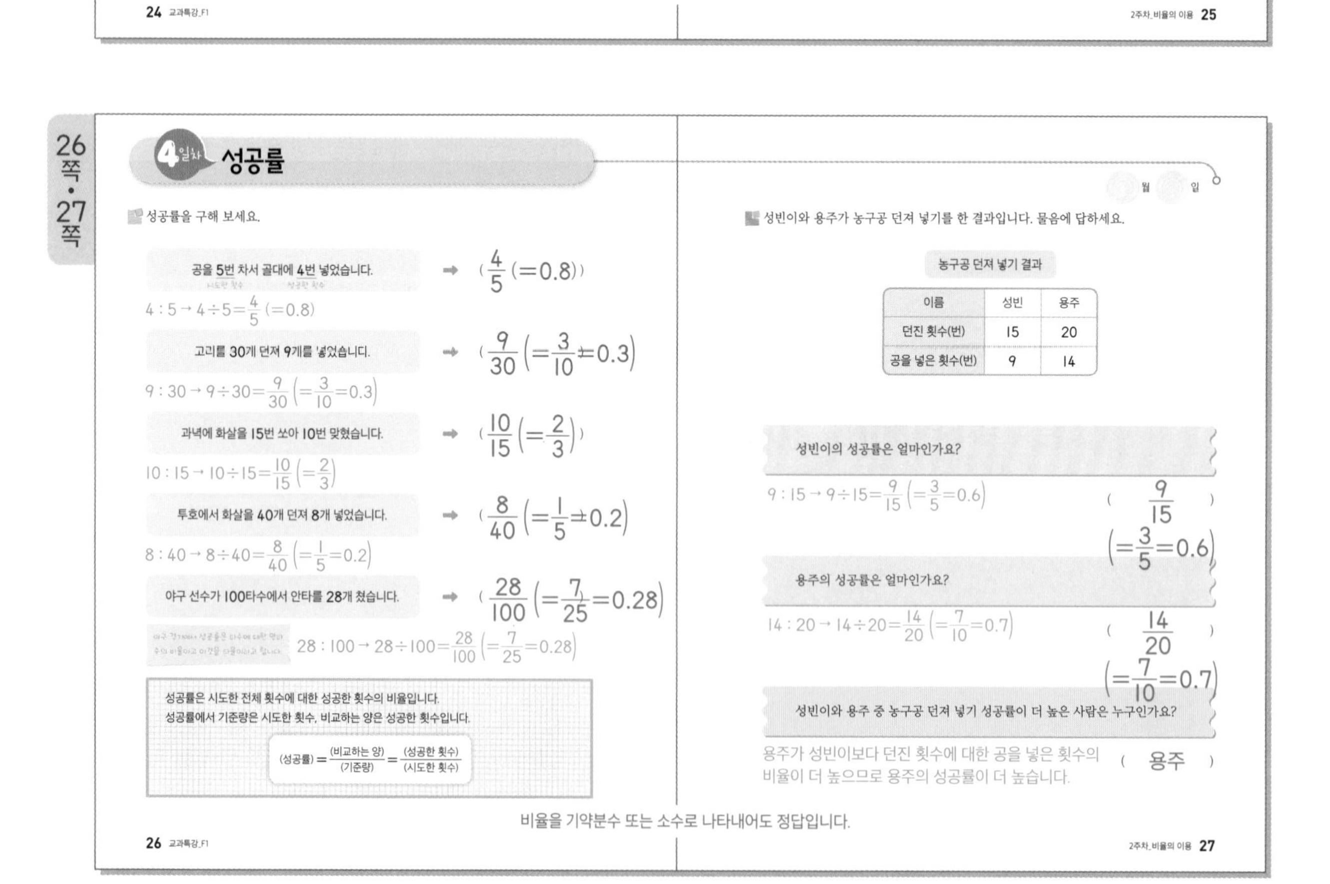

4일차 성공률

성공률을 구해 보세요.

공을 5번 차서 골대에 4번 넣었습니다. → $\left(\frac{4}{5}(=0.8)\right)$

$4:5 \rightarrow 4\div5=\frac{4}{5}(=0.8)$

고리를 30개 던져 9개를 넣었습니다. → $\left(\frac{9}{30}\left(=\frac{3}{10}=0.3\right)\right)$

$9:30 \rightarrow 9\div30=\frac{9}{30}\left(=\frac{3}{10}=0.3\right)$

과녁에 화살을 15번 쏘아 10번 맞혔습니다. → $\left(\frac{10}{15}\left(=\frac{2}{3}\right)\right)$

$10:15 \rightarrow 10\div15=\frac{10}{15}\left(=\frac{2}{3}\right)$

투호에서 화살을 40개 던져 8개 넣었습니다. → $\left(\frac{8}{40}\left(=\frac{1}{5}=0.2\right)\right)$

$8:40 \rightarrow 8\div40=\frac{8}{40}\left(=\frac{1}{5}=0.2\right)$

야구 선수가 100타수에서 안타를 28개 쳤습니다. → $\left(\frac{28}{100}\left(=\frac{7}{25}=0.28\right)\right)$

$28:100 \rightarrow 28\div100=\frac{28}{100}\left(=\frac{7}{25}=0.28\right)$

성공률은 시도한 전체 횟수에 대한 성공한 횟수의 비율입니다.
성공률에서 기준량은 시도한 횟수, 비교하는 양은 성공한 횟수입니다.

$(\text{성공률})=\frac{(\text{비교하는 양})}{(\text{기준량})}=\frac{(\text{성공한 횟수})}{(\text{시도한 횟수})}$

성빈이와 용주가 농구공 던져 넣기를 한 결과입니다. 물음에 답하세요.

농구공 던져 넣기 결과

이름	성빈	용주
던진 횟수(번)	15	20
공을 넣은 횟수(번)	9	14

성빈이의 성공률은 얼마인가요?

$9:15 \rightarrow 9\div15=\frac{9}{15}\left(=\frac{3}{5}=0.6\right)$ $\left(\frac{9}{15}\left(=\frac{3}{5}=0.6\right)\right)$

용주의 성공률은 얼마인가요?

$14:20 \rightarrow 14\div20=\frac{14}{20}\left(=\frac{7}{10}=0.7\right)$ $\left(\frac{14}{20}\left(=\frac{7}{10}=0.7\right)\right)$

성빈이와 용주 중 농구공 던져 넣기 성공률이 더 높은 사람은 누구인가요?

용주가 성빈이보다 던진 횟수에 대한 공을 넣은 횟수의 비율이 더 높으므로 용주의 성공률이 더 높습니다. (용주)

비율을 기약분수 또는 소수로 나타내어도 정답입니다.

26 교과특강_F1 2주차_비율의 이용 27

28쪽·29쪽

5일차 비율의 비교

물음에 답하세요.

종이 가와 나의 일부분을 색칠했습니다. 전체 종이에 대한 색칠한 부분의 비율이 더 높은 것의 기호를 써 보세요.

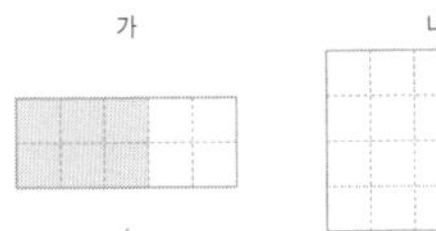

가) $6:10 \rightarrow 6 \div 10 = \frac{6}{10} \rightarrow 0.6$

나) $6:20 \rightarrow 6 \div 20 = \frac{6}{20} \rightarrow 0.3$

(가)

종이 가와 나의 일부분을 색칠했습니다. 전체 종이에 대한 색칠한 부분의 비율이 더 높은 것의 기호를 써 보세요.

가) $13:25 \rightarrow 13 \div 25 = \frac{13}{25} \rightarrow 0.52$

나) $8:16 \rightarrow 8 \div 16 = \frac{8}{16} \rightarrow 0.5$

(가)

물음에 답하세요.

은기와 소미가 만든 딸기우유 양에 대한 딸기 원액 양의 비율을 각각 구하고, 더 진한 딸기우유를 만든 사람을 구해 보세요.

은기) $120:300 \rightarrow 120 \div 300 = \frac{120}{300} \left(=\frac{2}{5}=0.4\right)$

소미) $250:500 \rightarrow 250 \div 500 = \frac{250}{500} \left(=\frac{1}{2}=0.5\right)$

은기 ($\frac{120}{300}$) $\left(=\frac{2}{5}=0.4\right)$, 소미 ($\frac{250}{500}$) $\left(=\frac{1}{2}=0.5\right)$

더 진한 딸기우유를 만든 사람 (소미)

1반과 2반의 전체 학생 수에 대한 여학생 수의 비율을 각각 구하고, 전체 학생 수에 대한 여학생 수의 비율이 더 높은 반을 구해 보세요.

1반) 여학생 수: $30-12=18$(명)

$18:30 \rightarrow 18 \div 30 = \frac{18}{30} \left(=\frac{3}{5}=0.6\right)$

2반) 전체 학생 수: $11+14=25$(명)

$14:25 \rightarrow 14 \div 25 = \frac{14}{25} (=0.56)$

1반 ($\frac{18}{30}$) $\left(=\frac{3}{5}=0.6\right)$, 2반 ($\frac{14}{25}$) $(=0.56)$

전체 학생 수에 대한 여학생 수의 비율이 더 높은 반 (1반)

비율을 기약분수 또는 소수로 나타내어도 정답입니다.

30쪽

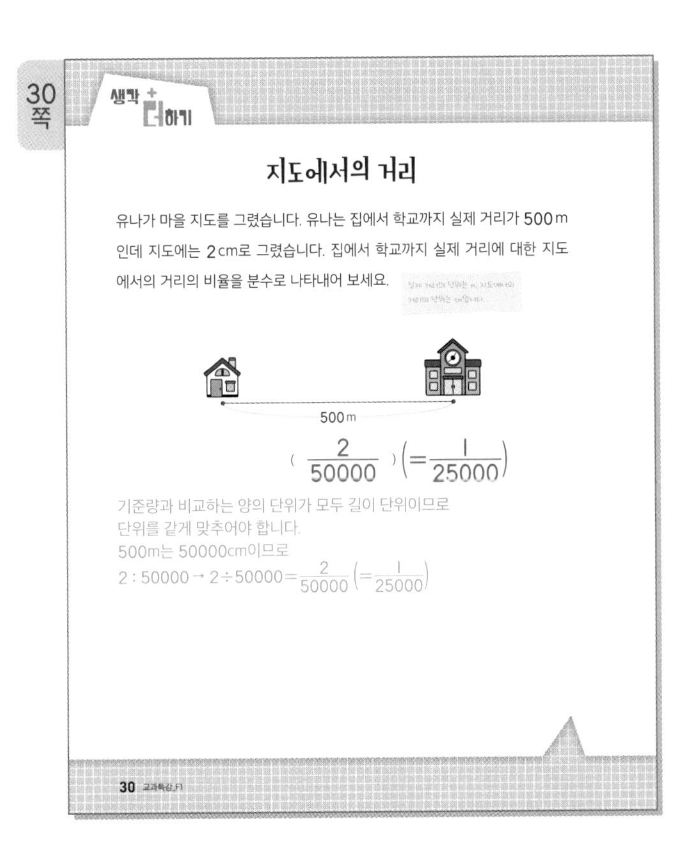

생각 + 더하기

지도에서의 거리

유나가 마을 지도를 그렸습니다. 유나는 집에서 학교까지 실제 거리가 500 m인데 지도에는 2 cm로 그렸습니다. 집에서 학교까지 실제 거리에 대한 지도에서의 거리의 비율을 분수로 나타내어 보세요.

500 m

($\frac{2}{50000}$) $\left(=\frac{1}{25000}\right)$

기준량과 비교하는 양의 단위가 모두 길이 단위이므로 단위를 같게 맞추어야 합니다.

500m는 50000cm이므로

$2:50000 \rightarrow 2 \div 50000 = \frac{2}{50000} \left(=\frac{1}{25000}\right)$

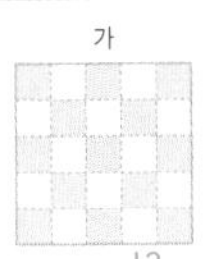

정답

3주차: 백분율

32쪽·33쪽

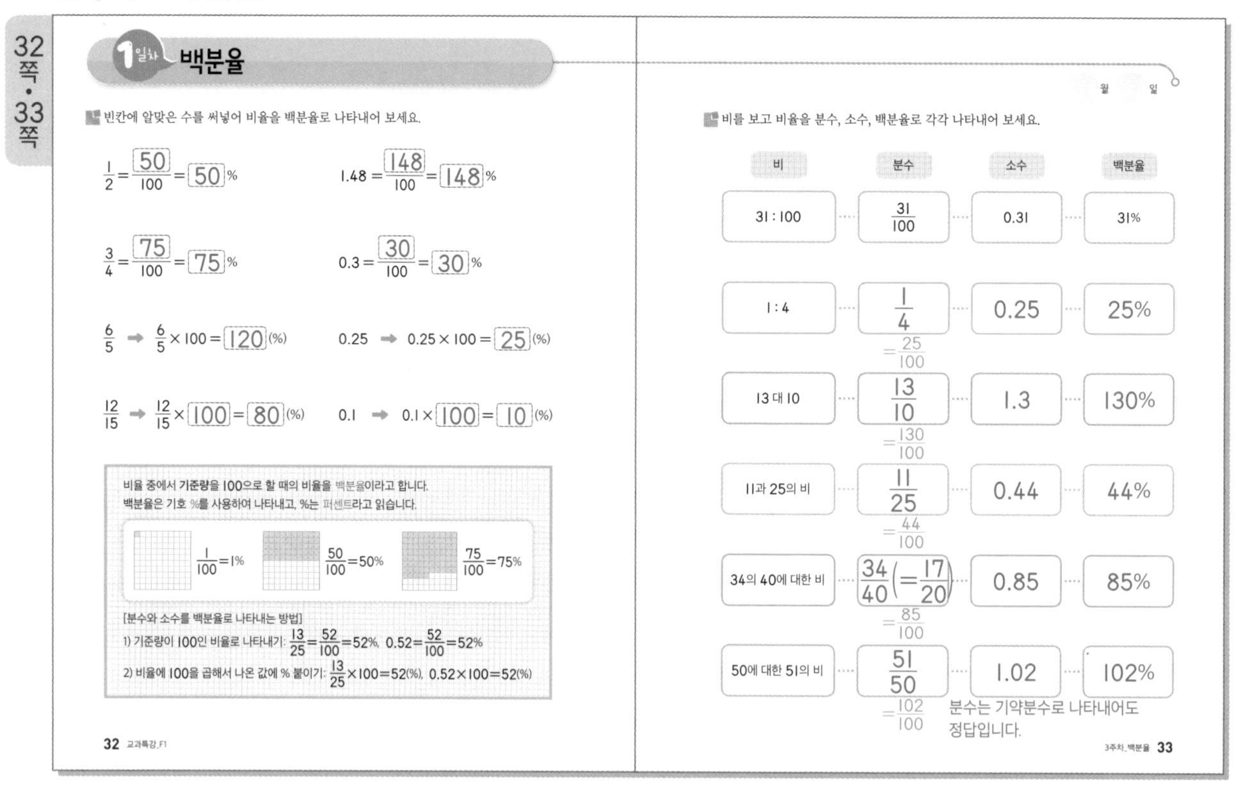

1일차 백분율

빈칸에 알맞은 수를 써넣어 비율을 백분율로 나타내어 보세요.

$\frac{1}{2}=\frac{50}{100}=50\%$　　$1.48=\frac{148}{100}=148\%$

$\frac{3}{4}=\frac{75}{100}=75\%$　　$0.3=\frac{30}{100}=30\%$

$\frac{6}{5} \rightarrow \frac{6}{5}\times 100=120(\%)$　　$0.25 \rightarrow 0.25\times 100=25(\%)$

$\frac{12}{15} \rightarrow \frac{12}{15}\times 100=80(\%)$　　$0.1 \rightarrow 0.1\times 100=10(\%)$

비율 중에서 **기준량을 100으로 할 때의 비율을 백분율**이라고 합니다.
백분율은 기호 %를 사용하여 나타내고, %는 퍼센트라고 읽습니다.

$\frac{1}{100}=1\%$　$\frac{50}{100}=50\%$　$\frac{75}{100}=75\%$

[분수와 소수를 백분율로 나타내는 방법]
1) 기준량이 100인 비율로 나타내기: $\frac{13}{25}=\frac{52}{100}=52\%$, $0.52=\frac{52}{100}=52\%$
2) 비율에 100을 곱해서 나온 값에 % 붙이기: $\frac{13}{25}\times100=52(\%)$, $0.52\times100=52(\%)$

월 일

비를 보고 비율을 분수, 소수, 백분율로 각각 나타내어 보세요.

비	분수	소수	백분율
31 : 100	$\frac{31}{100}$	0.31	31%
1 : 4	$\frac{1}{4}$ $\left(=\frac{25}{100}\right)$	0.25	25%
13 대 10	$\frac{13}{10}$ $\left(=\frac{130}{100}\right)$	1.3	130%
11과 25의 비	$\frac{11}{25}$ $\left(=\frac{44}{100}\right)$	0.44	44%
34의 40에 대한 비	$\frac{34}{40}\left(=\frac{17}{20}\right)$ $\left(=\frac{85}{100}\right)$	0.85	85%
50에 대한 51의 비	$\frac{51}{50}$ $\left(=\frac{102}{100}\right)$	1.02	102%

분수는 기약분수로 나타내어도 정답입니다.

32 교과특강_F1　　3주차_백분율 33

34쪽·35쪽

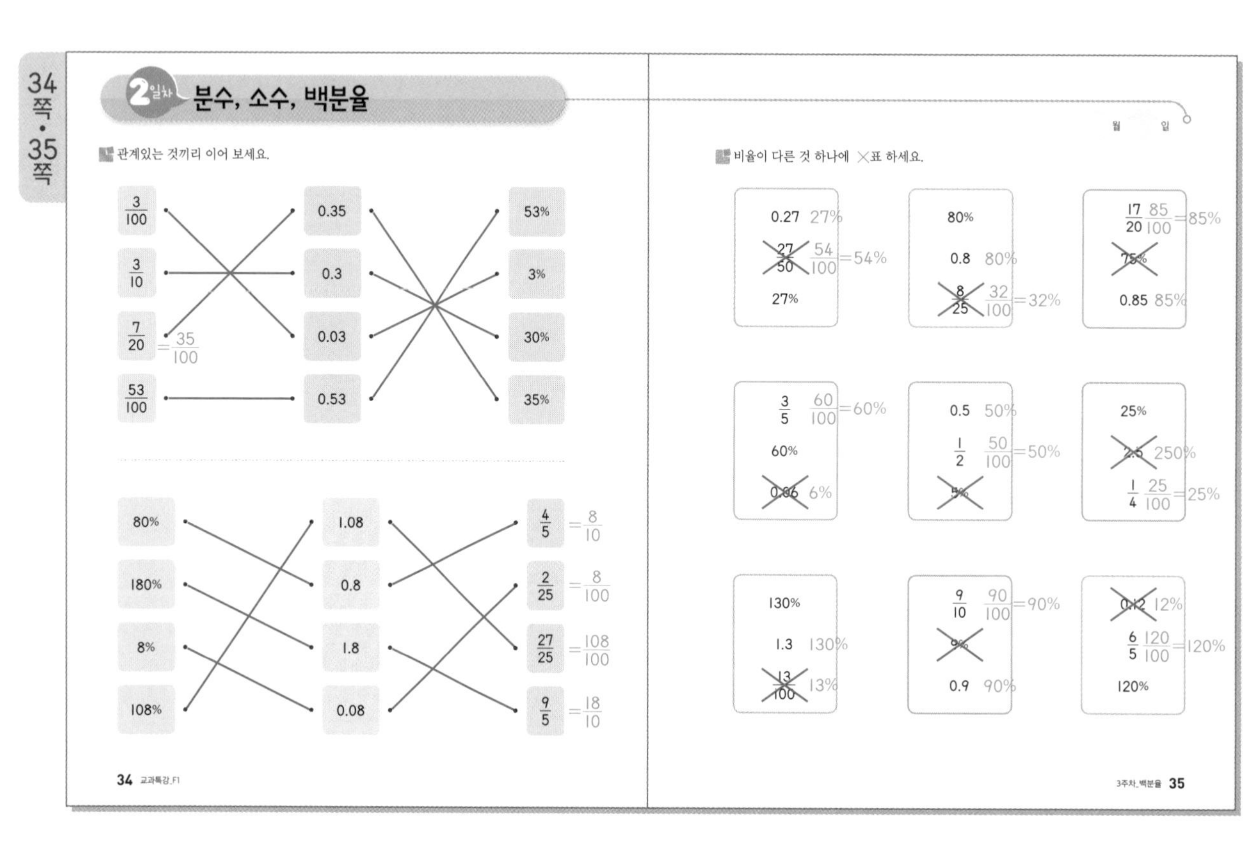

2일차 분수, 소수, 백분율

관계있는 것끼리 이어 보세요.

- $\frac{3}{100}$ — 0.03 — 3%
- $\frac{3}{10}$ — 0.3 — 30%
- $\frac{7}{20}\left(=\frac{35}{100}\right)$ — 0.35 — 35%
- $\frac{53}{100}$ — 0.53 — 53%

- 80% — 0.8 — $\frac{4}{5}\left(=\frac{8}{10}\right)$
- 180% — 1.8 — $\frac{9}{5}\left(=\frac{18}{10}\right)$
- 8% — 0.08 — $\frac{2}{25}\left(=\frac{8}{100}\right)$
- 108% — 1.08 — $\frac{27}{25}\left(=\frac{108}{100}\right)$

월 일

비율이 다른 것 하나에 ×표 하세요.

- 0.27 (27%), ~~$\frac{27}{50}$~~ ($\frac{54}{100}=54\%$), 27%
- 80%, 0.8 (80%), ~~$\frac{8}{25}$~~ ($\frac{32}{100}=32\%$)
- $\frac{17}{20}$ ($\frac{85}{100}=85\%$), ~~75%~~, 0.85 (85%)
- $\frac{3}{5}$ ($\frac{60}{100}=60\%$), 60%, ~~0.06~~ (6%)
- 0.5 (50%), $\frac{1}{2}$ ($\frac{50}{100}=50\%$), ~~5%~~
- 25%, ~~2.5~~ (250%), $\frac{1}{4}$ ($\frac{25}{100}=25\%$)
- 130%, 1.3 (130%), ~~$\frac{13}{100}$~~ (13%)
- $\frac{9}{10}$ ($\frac{90}{100}=90\%$), ~~9%~~, 0.9 (90%)
- ~~0.12~~ (12%), $\frac{6}{5}$ ($\frac{120}{100}=120\%$), 120%

34 교과특강_F1　　3주차_백분율 35

36쪽·37쪽

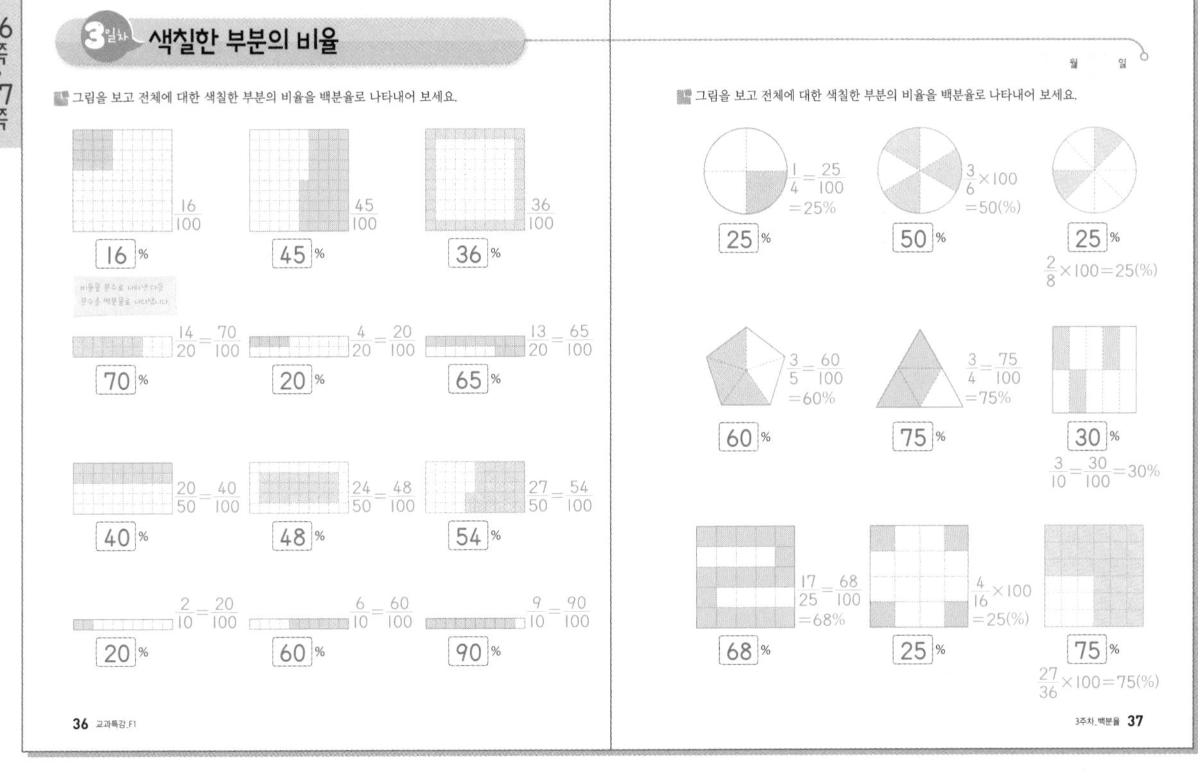

3일차 색칠한 부분의 비율

그림을 보고 전체에 대한 색칠한 부분의 비율을 백분율로 나타내어 보세요.

$\frac{16}{100}$ (16)%　$\frac{45}{100}$ (45)%　$\frac{36}{100}$ (36)%

비율을 분수로 나타낸 다음 분수를 백분율로 나타냅니다.

$\frac{14}{20}=\frac{70}{100}$ (70)%　$\frac{4}{20}=\frac{20}{100}$ (20)%　$\frac{13}{20}=\frac{65}{100}$ (65)%

$\frac{20}{50}=\frac{40}{100}$ (40)%　$\frac{24}{50}=\frac{48}{100}$ (48)%　$\frac{27}{50}=\frac{54}{100}$ (54)%

$\frac{2}{10}=\frac{20}{100}$ (20)%　$\frac{6}{10}=\frac{60}{100}$ (60)%　$\frac{9}{10}=\frac{90}{100}$ (90)%

36 교과특강_F1

월　일

그림을 보고 전체에 대한 색칠한 부분의 비율을 백분율로 나타내어 보세요.

$\frac{1}{4}=\frac{25}{100}=25\%$ (25)%　$\frac{3}{6}\times100=50(\%)$ (50)%　(25)% $\frac{2}{8}\times100=25(\%)$

$\frac{3}{5}=\frac{60}{100}=60\%$ (60)%　$\frac{3}{4}=\frac{75}{100}=75\%$ (75)%　(30)% $\frac{3}{10}=\frac{30}{100}=30\%$

$\frac{17}{25}=\frac{68}{100}=68\%$ (68)%　$\frac{4}{16}\times100=25(\%)$ (25)%　(75)% $\frac{27}{36}\times100=75(\%)$

3주차_백분율 37

38쪽·39쪽

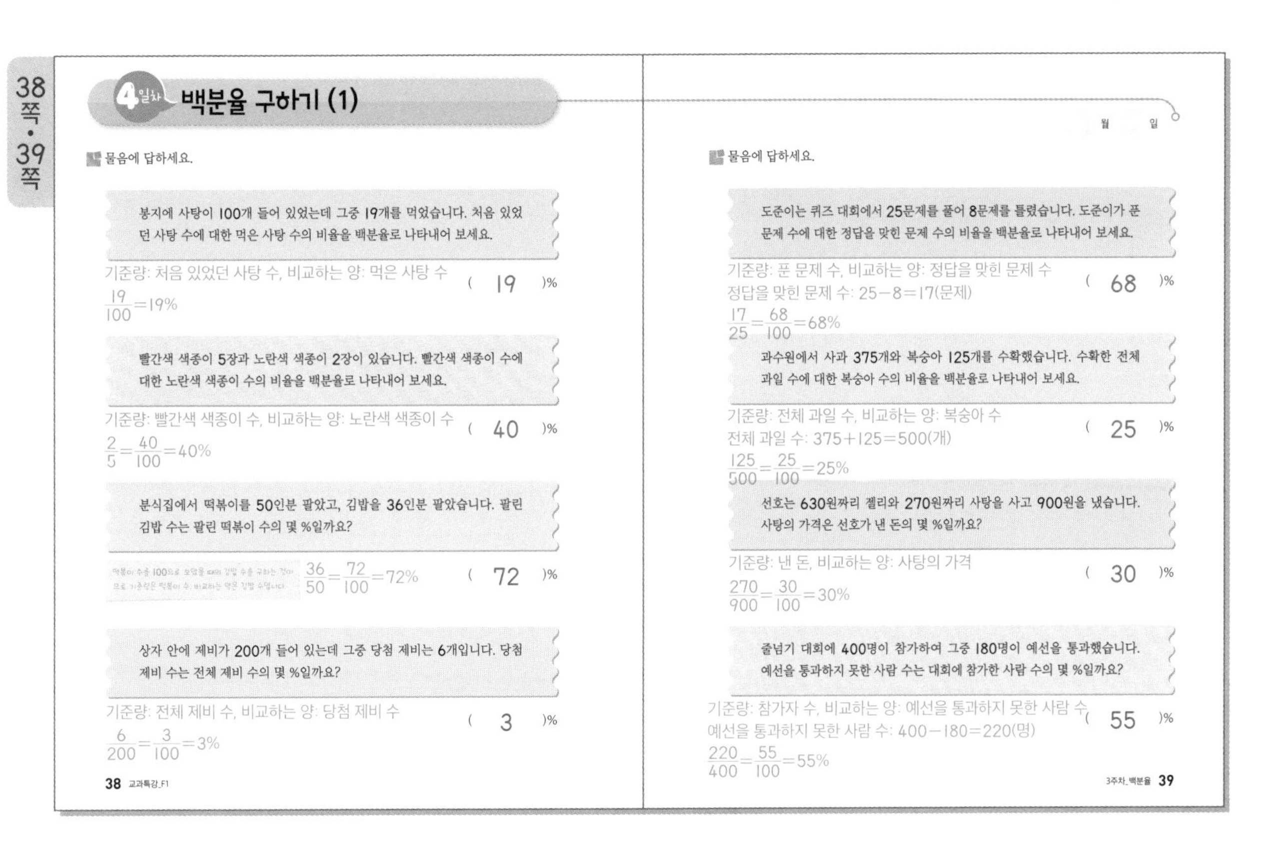

4일차 백분율 구하기 (1)

물음에 답하세요.

봉지에 사탕이 100개 들어 있었는데 그중 19개를 먹었습니다. 처음 있었던 사탕 수에 대한 먹은 사탕 수의 비율을 백분율로 나타내어 보세요.

기준량: 처음 있었던 사탕 수, 비교하는 양: 먹은 사탕 수　(19)%

$\frac{19}{100}=19\%$

빨간색 색종이 5장과 노란색 색종이 2장이 있습니다. 빨간색 색종이 수에 대한 노란색 색종이 수의 비율을 백분율로 나타내어 보세요.

기준량: 빨간색 색종이 수, 비교하는 양: 노란색 색종이 수　(40)%

$\frac{2}{5}=\frac{40}{100}=40\%$

분식집에서 떡볶이를 50인분 팔았고, 김밥을 36인분 팔았습니다. 팔린 김밥 수는 팔린 떡볶이 수의 몇 %일까요?

떡볶이 수를 100으로 보았을 때의 김밥 수를 구하는 것이므로 기준량은 떡볶이 수, 비교하는 양은 김밥 수입니다. $\frac{36}{50}=\frac{72}{100}=72\%$　(72)%

상자 안에 제비가 200개 들어 있는데 그중 당첨 제비는 6개입니다. 당첨 제비 수는 전체 제비 수의 몇 %일까요?

기준량: 전체 제비 수, 비교하는 양: 당첨 제비 수　(3)%

$\frac{6}{200}=\frac{3}{100}=3\%$

38 교과특강_F1

월　일

물음에 답하세요.

도준이는 퀴즈 대회에서 25문제를 풀어 8문제를 틀렸습니다. 도준이가 푼 문제 수에 대한 정답을 맞힌 문제 수의 비율을 백분율로 나타내어 보세요.

기준량: 푼 문제 수, 비교하는 양: 정답을 맞힌 문제 수　(68)%

정답을 맞힌 문제 수: 25−8=17(문제)

$\frac{17}{25}=\frac{68}{100}=68\%$

과수원에서 사과 375개와 복숭아 125개를 수확했습니다. 수확한 전체 과일 수에 대한 복숭아 수의 비율을 백분율로 나타내어 보세요.

기준량: 전체 과일 수, 비교하는 양: 복숭아 수　(25)%

전체 과일 수: 375+125=500(개)

$\frac{125}{500}=\frac{25}{100}=25\%$

선호는 630원짜리 젤리와 270원짜리 사탕을 사고 900원을 냈습니다. 사탕의 가격은 선호가 낸 돈의 몇 %일까요?

기준량: 낸 돈, 비교하는 양: 사탕의 가격　(30)%

$\frac{270}{900}=\frac{30}{100}=30\%$

줄넘기 대회에 400명이 참가하여 그중 180명이 예선을 통과했습니다. 예선을 통과하지 못한 사람 수는 대회에 참가한 사람 수의 몇 %일까요?

기준량: 참가자 수, 비교하는 양: 예선을 통과하지 못한 사람 수　(55)%

예선을 통과하지 못한 사람 수: 400−180=220(명)

$\frac{220}{400}=\frac{55}{100}=55\%$

3주차_백분율 39

40쪽·41쪽

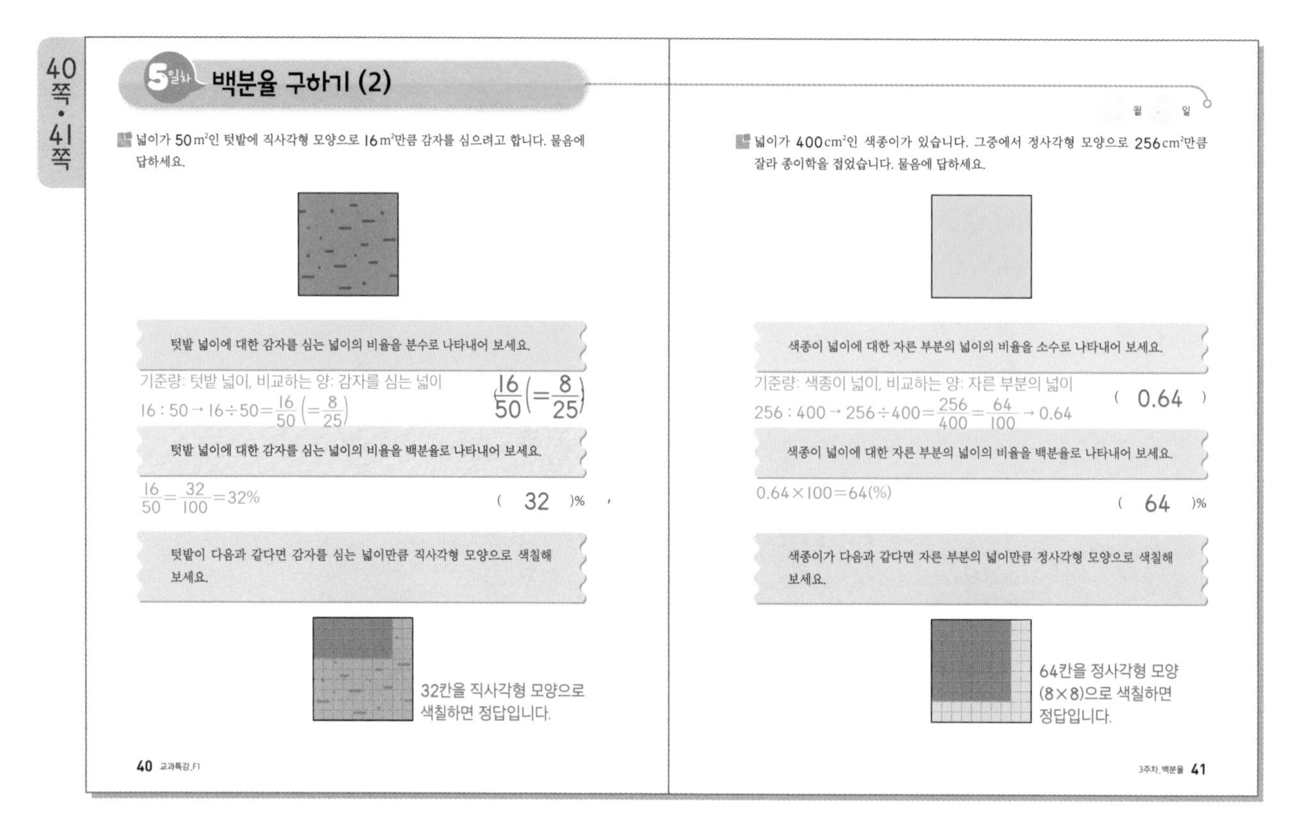

5일차 백분율 구하기 (2)
넓이가 50 m²인 텃밭에 직사각형 모양으로 16 m²만큼 감자를 심으려고 합니다. 물음에 답하세요.
텃밭 넓이에 대한 감자를 심는 넓이의 비율을 분수로 나타내어 보세요.
기준량: 텃밭 넓이, 비교하는 양: 감자를 심는 넓이
16 : 50 → 16÷50=16/50 (=8/25)
(16/50 (=8/25))
텃밭 넓이에 대한 감자를 심는 넓이의 비율을 백분율로 나타내어 보세요.
16/50=32/100=32%
(32)%
텃밭이 다음과 같다면 감자를 심는 넓이만큼 직사각형 모양으로 색칠해 보세요.
32칸을 직사각형 모양으로 색칠하면 정답입니다.
40 교과특강_F1
넓이가 400 cm²인 색종이가 있습니다. 그중에서 정사각형 모양으로 256 cm²만큼 잘라 종이학을 접었습니다. 물음에 답하세요.
색종이 넓이에 대한 자른 부분의 넓이의 비율을 소수로 나타내어 보세요.
기준량: 색종이 넓이, 비교하는 양: 자른 부분의 넓이
256 : 400 → 256÷400=256/400=64/100 → 0.64
(0.64)
색종이 넓이에 대한 자른 부분의 넓이의 비율을 백분율로 나타내어 보세요.
0.64×100=64(%)
(64)%
색종이가 다음과 같다면 자른 부분의 넓이만큼 정사각형 모양으로 색칠해 보세요.
64칸을 정사각형 모양 (8×8)으로 색칠하면 정답입니다.
3주차_백분율 41

42쪽

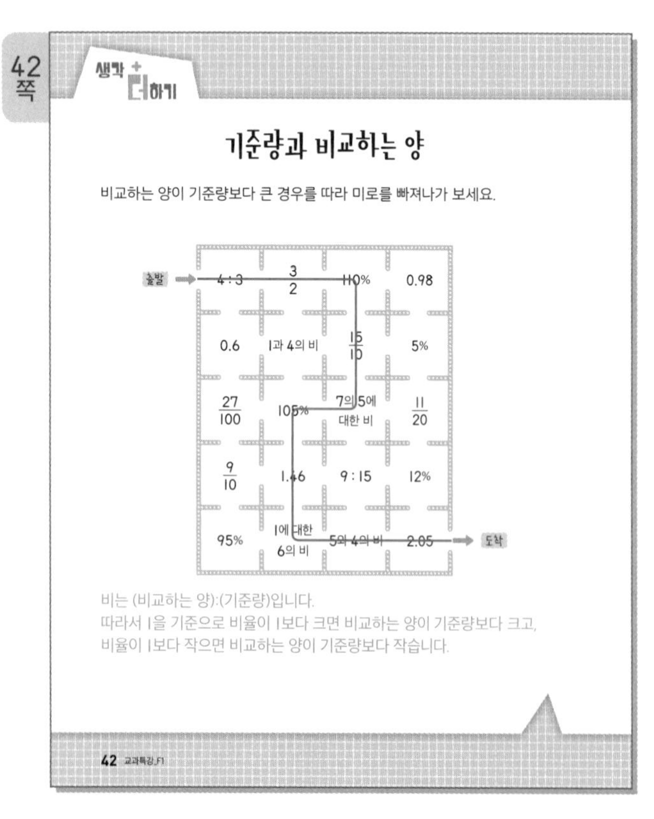

생각 더하기
기준량과 비교하는 양
비교하는 양이 기준량보다 큰 경우를 따라 미로를 빠져나가 보세요.
출발
4:3
3/2
110%
0.98
0.6
1과 4의 비
15/10
5%
27/100
105%
7의 5에 대한 비
11/20
9/10
1.46
9 : 15
12%
95%
1에 대한 6의 비
5와 4의 비
2.05
도착
비는 (비교하는 양):(기준량)입니다.
따라서 1을 기준으로 비율이 1보다 크면 비교하는 양이 기준량보다 크고, 비율이 1보다 작으면 비교하는 양이 기준량보다 작습니다.
42 교과특강_F1

4주차: 백분율의 이용

44쪽·45쪽

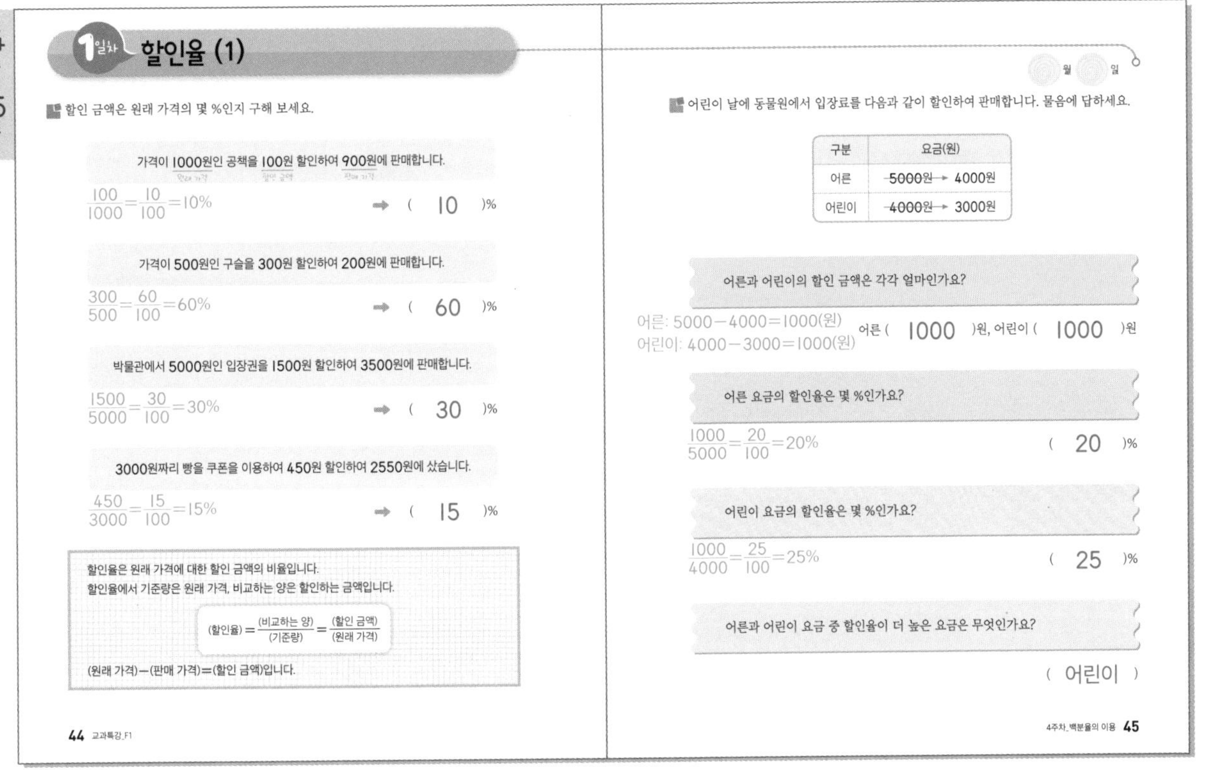

1일차 할인율 (1)

■ 할인 금액은 원래 가격의 몇 %인지 구해 보세요.

가격이 1000원인 공책을 100원 할인하여 900원에 판매합니다.

$\frac{100}{1000}=\frac{10}{100}=10\%$ ➡ (10)%

가격이 500원인 구슬을 300원 할인하여 200원에 판매합니다.

$\frac{300}{500}=\frac{60}{100}=60\%$ ➡ (60)%

박물관에서 5000원인 입장권을 1500원 할인하여 3500원에 판매합니다.

$\frac{1500}{5000}=\frac{30}{100}=30\%$ ➡ (30)%

3000원짜리 빵을 쿠폰을 이용하여 450원 할인하여 2550원에 샀습니다.

$\frac{450}{3000}=\frac{15}{100}=15\%$ ➡ (15)%

할인율은 원래 가격에 대한 할인 금액의 비율입니다.
할인율에서 기준량은 원래 가격, 비교하는 양은 할인하는 금액입니다.

(할인율) = $\frac{(비교하는 양)}{(기준량)}=\frac{(할인 금액)}{(원래 가격)}$

(원래 가격)−(판매 가격)=(할인 금액)입니다.

월 일

■ 어린이 날에 동물원에서 입장료를 다음과 같이 할인하여 판매합니다. 물음에 답하세요.

구분	요금(원)
어른	~~5000원~~ → 4000원
어린이	~~4000원~~ → 3000원

어른과 어린이의 할인 금액은 각각 얼마인가요?

어른: 5000−4000=1000(원)
어린이: 4000−3000=1000(원)

어른 (1000)원, 어린이 (1000)원

어른 요금의 할인율은 몇 %인가요?

$\frac{1000}{5000}=\frac{20}{100}=20\%$ (20)%

어린이 요금의 할인율은 몇 %인가요?

$\frac{1000}{4000}=\frac{25}{100}=25\%$ (25)%

어른과 어린이 요금 중 할인율이 더 높은 요금은 무엇인가요?

(어린이)

46쪽·47쪽

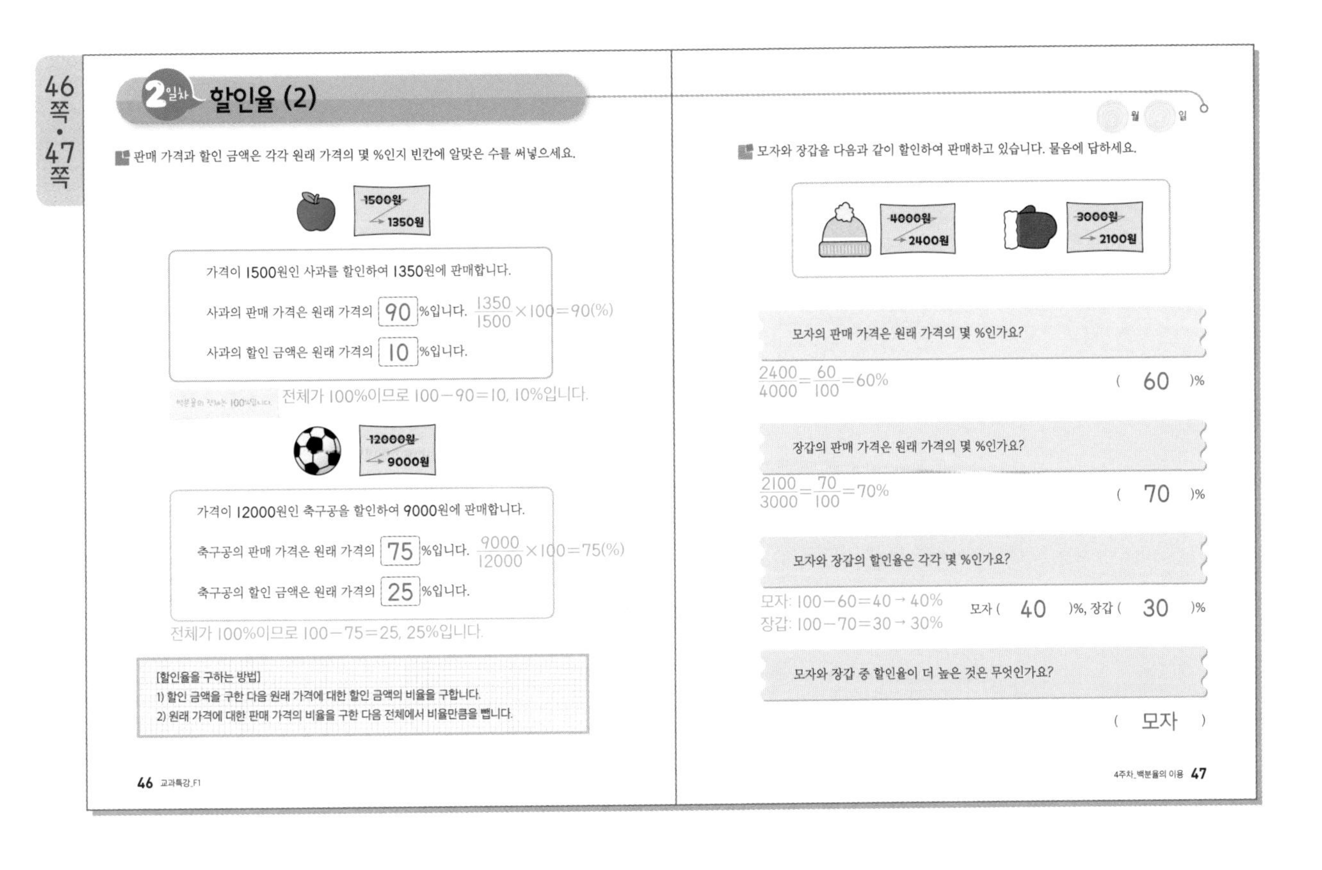

2일차 할인율 (2)

■ 판매 가격과 할인 금액은 각각 원래 가격의 몇 %인지 빈칸에 알맞은 수를 써넣으세요.

~~1500원~~ → 1350원

가격이 1500원인 사과를 할인하여 1350원에 판매합니다.

사과의 판매 가격은 원래 가격의 [90] %입니다. $\frac{1350}{1500}\times100=90(\%)$

사과의 할인 금액은 원래 가격의 [10] %입니다.

전체가 100%이므로 100−90=10, 10%입니다.

~~12000원~~ → 9000원

가격이 12000원인 축구공을 할인하여 9000원에 판매합니다.

축구공의 판매 가격은 원래 가격의 [75] %입니다. $\frac{9000}{12000}\times100=75(\%)$

축구공의 할인 금액은 원래 가격의 [25] %입니다.

전체가 100%이므로 100−75=25, 25%입니다.

[할인율을 구하는 방법]
1) 할인 금액을 구한 다음 원래 가격에 대한 할인 금액의 비율을 구합니다.
2) 원래 가격에 대한 판매 가격의 비율을 구한 다음 전체에서 비율만큼을 뺍니다.

월 일

■ 모자와 장갑을 다음과 같이 할인하여 판매하고 있습니다. 물음에 답하세요.

~~4000원~~ → 2400원 ~~3000원~~ → 2100원

모자의 판매 가격은 원래 가격의 몇 %인가요?

$\frac{2400}{4000}=\frac{60}{100}=60\%$ (60)%

장갑의 판매 가격은 원래 가격의 몇 %인가요?

$\frac{2100}{3000}=\frac{70}{100}=70\%$ (70)%

모자와 장갑의 할인율은 각각 몇 %인가요?

모자: 100−60=40 → 40%
장갑: 100−70=30 → 30%

모자 (40)%, 장갑 (30)%

모자와 장갑 중 할인율이 더 높은 것은 무엇인가요?

(모자)

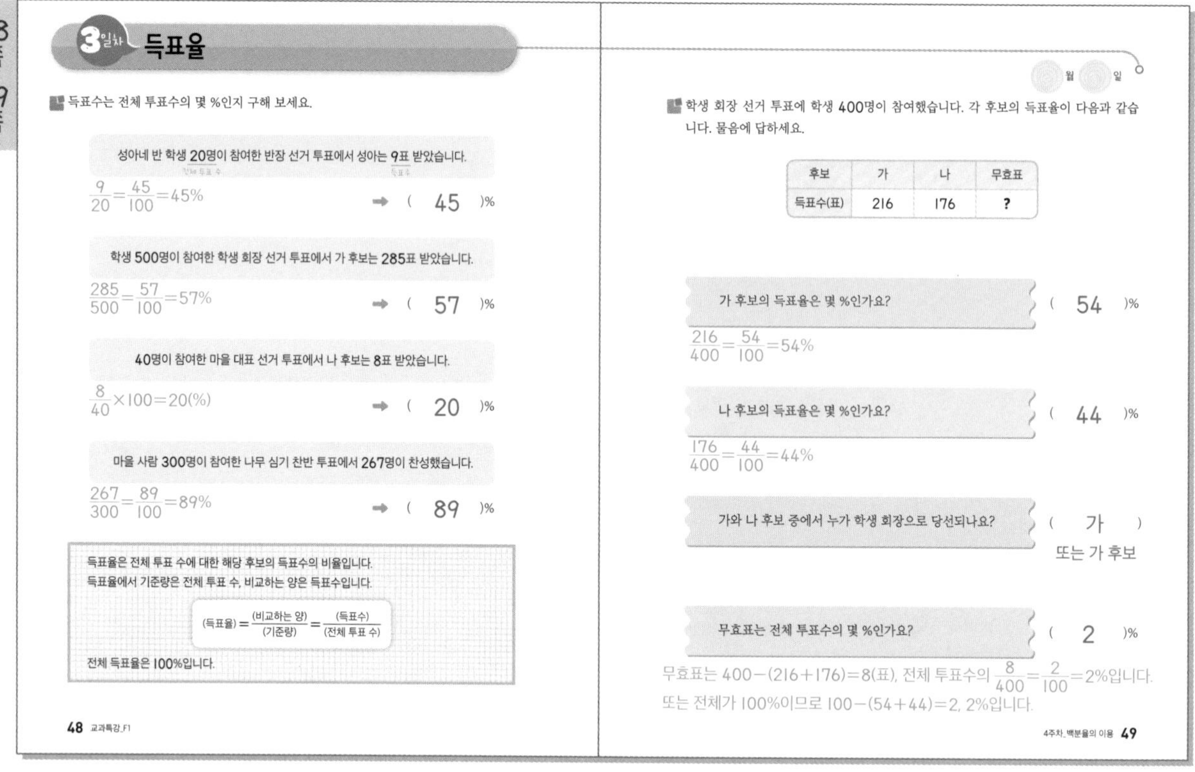

3일차 득표율

득표수는 전체 투표수의 몇 %인지 구해 보세요.

성아네 반 학생 20명이 참여한 반장 선거 투표에서 성아는 9표 받았습니다.

$\frac{9}{20}=\frac{45}{100}=45\%$ ➡ (45)%

학생 500명이 참여한 학생 회장 선거 투표에서 가 후보는 285표 받았습니다.

$\frac{285}{500}=\frac{57}{100}=57\%$ ➡ (57)%

40명이 참여한 마을 대표 선거 투표에서 나 후보는 8표 받았습니다.

$\frac{8}{40}\times100=20(\%)$ ➡ (20)%

마을 사람 300명이 참여한 나무 심기 찬반 투표에서 267명이 찬성했습니다.

$\frac{267}{300}=\frac{89}{100}=89\%$ ➡ (89)%

득표율은 전체 투표 수에 대한 해당 후보의 득표수의 비율입니다.
득표율에서 기준량은 전체 투표 수, 비교하는 양은 득표수입니다.

$(\text{득표율})=\frac{(\text{비교하는 양})}{(\text{기준량})}=\frac{(\text{득표수})}{(\text{전체 투표 수})}$

전체 득표율은 100%입니다.

48 교과특강_F1

월 일

학생 회장 선거 투표에 학생 400명이 참여했습니다. 각 후보의 득표율이 다음과 같습니다. 물음에 답하세요.

후보	가	나	무효표
득표수(표)	216	176	?

가 후보의 득표율은 몇 %인가요? (54)%

$\frac{216}{400}=\frac{54}{100}=54\%$

나 후보의 득표율은 몇 %인가요? (44)%

$\frac{176}{400}=\frac{44}{100}=44\%$

가와 나 후보 중에서 누가 학생 회장으로 당선되나요? (가)
또는 가 후보

무효표는 전체 투표수의 몇 %인가요? (2)%

무효표는 $400-(216+176)=8$(표), 전체 투표수의 $\frac{8}{400}=\frac{2}{100}=2\%$입니다.
또는 전체가 100%이므로 $100-(54+44)=2$, 2%입니다.

4주차_백분율의 이용 49

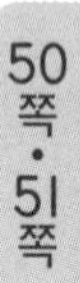

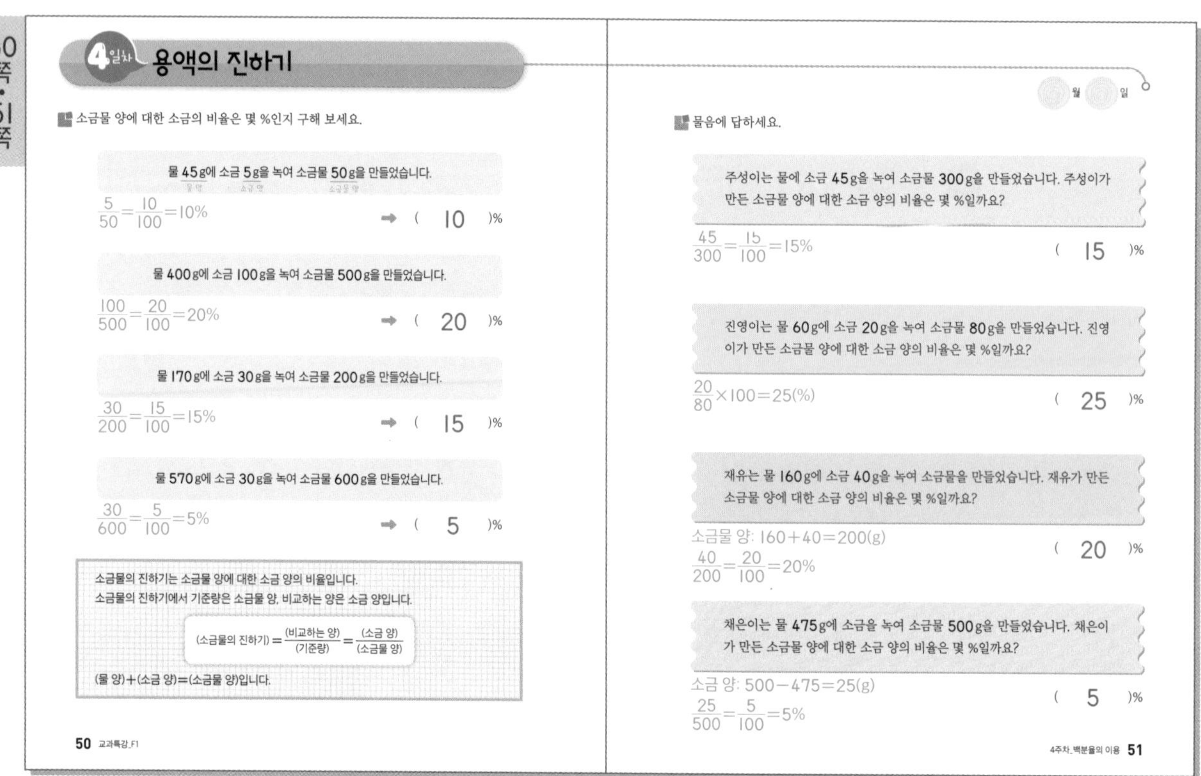

4일차 용액의 진하기

소금물 양에 대한 소금의 비율은 몇 %인지 구해 보세요.

물 45g에 소금 5g을 녹여 소금물 50g을 만들었습니다.

$\frac{5}{50}=\frac{10}{100}=10\%$ ➡ (10)%

물 400g에 소금 100g을 녹여 소금물 500g을 만들었습니다.

$\frac{100}{500}=\frac{20}{100}=20\%$ ➡ (20)%

물 170g에 소금 30g을 녹여 소금물 200g을 만들었습니다.

$\frac{30}{200}=\frac{15}{100}=15\%$ ➡ (15)%

물 570g에 소금 30g을 녹여 소금물 600g을 만들었습니다.

$\frac{30}{600}=\frac{5}{100}=5\%$ ➡ (5)%

소금물의 진하기는 소금물 양에 대한 소금 양의 비율입니다.
소금물의 진하기에서 기준량은 소금물 양, 비교하는 양은 소금 양입니다.

$(\text{소금물의 진하기})=\frac{(\text{비교하는 양})}{(\text{기준량})}=\frac{(\text{소금 양})}{(\text{소금물 양})}$

(물 양)+(소금 양)=(소금물 양)입니다.

50 교과특강_F1

월 일

물음에 답하세요.

주성이는 물에 소금 45g을 녹여 소금물 300g을 만들었습니다. 주성이가 만든 소금물 양에 대한 소금 양의 비율은 몇 %일까요?

$\frac{45}{300}=\frac{15}{100}=15\%$ (15)%

진영이는 물 60g에 소금 20g을 녹여 소금물 80g을 만들었습니다. 진영이가 만든 소금물 양에 대한 소금 양의 비율은 몇 %일까요?

$\frac{20}{80}\times100=25(\%)$ (25)%

재유는 물 160g에 소금 40g을 녹여 소금물을 만들었습니다. 재유가 만든 소금물 양에 대한 소금 양의 비율은 몇 %일까요?

소금물 양: $160+40=200$(g)
$\frac{40}{200}=\frac{20}{100}=20\%$ (20)%

채은이는 물 475g에 소금을 녹여 소금물 500g을 만들었습니다. 채은이가 만든 소금물 양에 대한 소금 양의 비율은 몇 %일까요?

소금 양: $500-475=25$(g)
$\frac{25}{500}=\frac{5}{100}=5\%$ (5)%

4주차_백분율의 이용 51

52쪽·53쪽

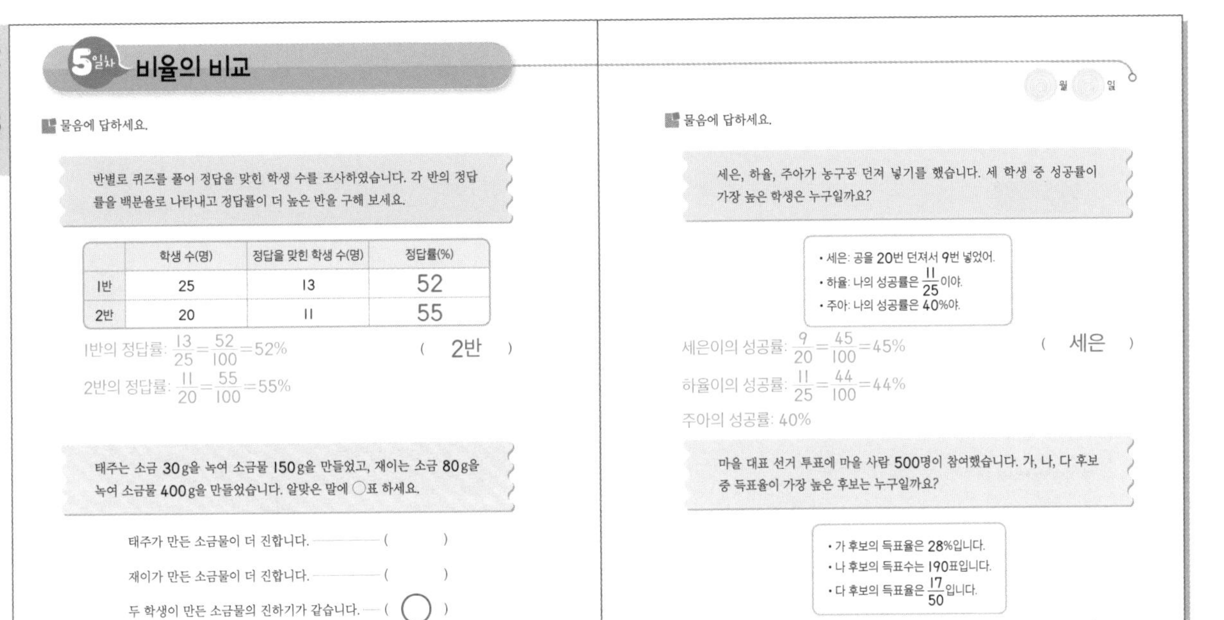

5일차 비율의 비교

■ 물음에 답하세요.

반별로 퀴즈를 풀어 정답을 맞힌 학생 수를 조사하였습니다. 각 반의 정답률을 백분율로 나타내고 정답률이 더 높은 반을 구해 보세요.

	학생 수(명)	정답을 맞힌 학생 수(명)	정답률(%)
1반	25	13	52
2반	20	11	55

(2반)

1반의 정답률: $\frac{13}{25}=\frac{52}{100}=52\%$

2반의 정답률: $\frac{11}{20}=\frac{55}{100}=55\%$

태주는 소금 30g을 녹여 소금물 150g을 만들었고, 재이는 소금 80g을 녹여 소금물 400g을 만들었습니다. 알맞은 말에 ○표 하세요.

태주가 만든 소금물이 더 진합니다. ( )

재이가 만든 소금물이 더 진합니다. ( )

두 학생이 만든 소금물의 진하기가 같습니다. (○)

태주가 만든 소금물의 진하기: $\frac{30}{150}\times100=20(\%)$

재이가 만든 소금물의 진하기: $\frac{80}{400}=\frac{20}{100}=20\%$

52 교과특강_F1

월 일

■ 물음에 답하세요.

세은, 하율, 주아가 농구공 던져 넣기를 했습니다. 세 학생 중 성공률이 가장 높은 학생은 누구일까요?

- 세은: 공을 20번 던져서 9번 넣었어.
- 하율: 나의 성공률은 $\frac{11}{25}$이야.
- 주아: 나의 성공률은 40%야.

(세은)

세은이의 성공률: $\frac{9}{20}=\frac{45}{100}=45\%$

하율이의 성공률: $\frac{11}{25}=\frac{44}{100}=44\%$

주아의 성공률: 40%

마을 대표 선거 투표에 마을 사람 500명이 참여했습니다. 가, 나, 다 후보 중 득표율이 가장 높은 후보는 누구일까요?

- 가 후보의 득표율은 28%입니다.
- 나 후보의 득표수는 190표입니다.
- 다 후보의 득표율은 $\frac{17}{50}$입니다.

(나)
또는 나 후보

가 후보의 득표율: 28%

나 후보의 득표율: $\frac{190}{500}=\frac{38}{100}=38\%$

다 후보의 득표율: $\frac{17}{50}=\frac{34}{100}=34\%$

4주차_백분율의 이용 53

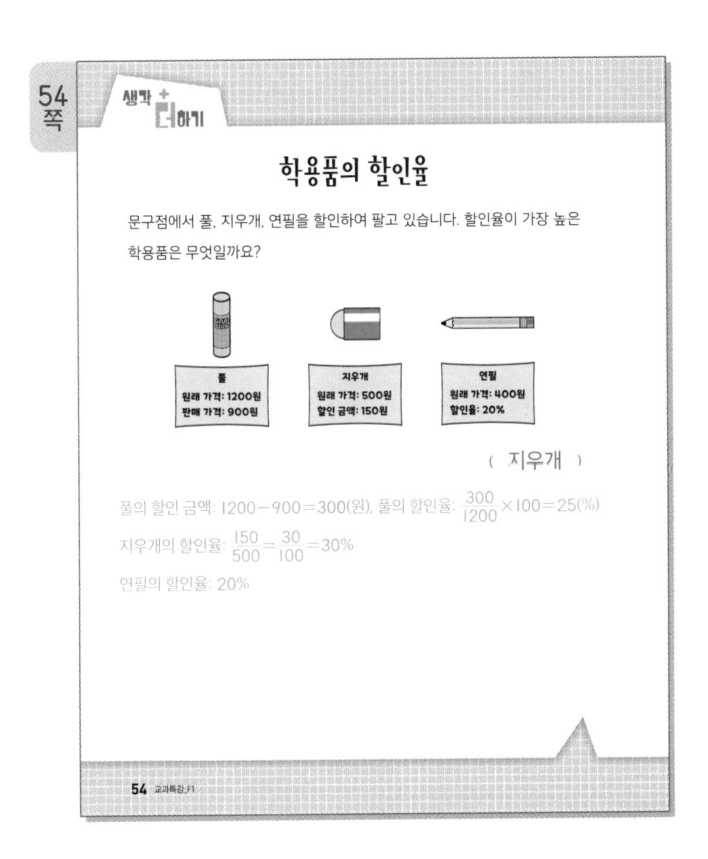

54쪽

생각 더하기

학용품의 할인율

문구점에서 풀, 지우개, 연필을 할인하여 팔고 있습니다. 할인율이 가장 높은 학용품은 무엇일까요?

(지우개)

풀의 할인 금액: 1200−900=300(원), 풀의 할인율: $\frac{300}{1200}\times100=25(\%)$

지우개의 할인율: $\frac{150}{500}=\frac{30}{100}=30\%$

연필의 할인율: 20%

54 교과특강_F1

링크: 비교하는 양

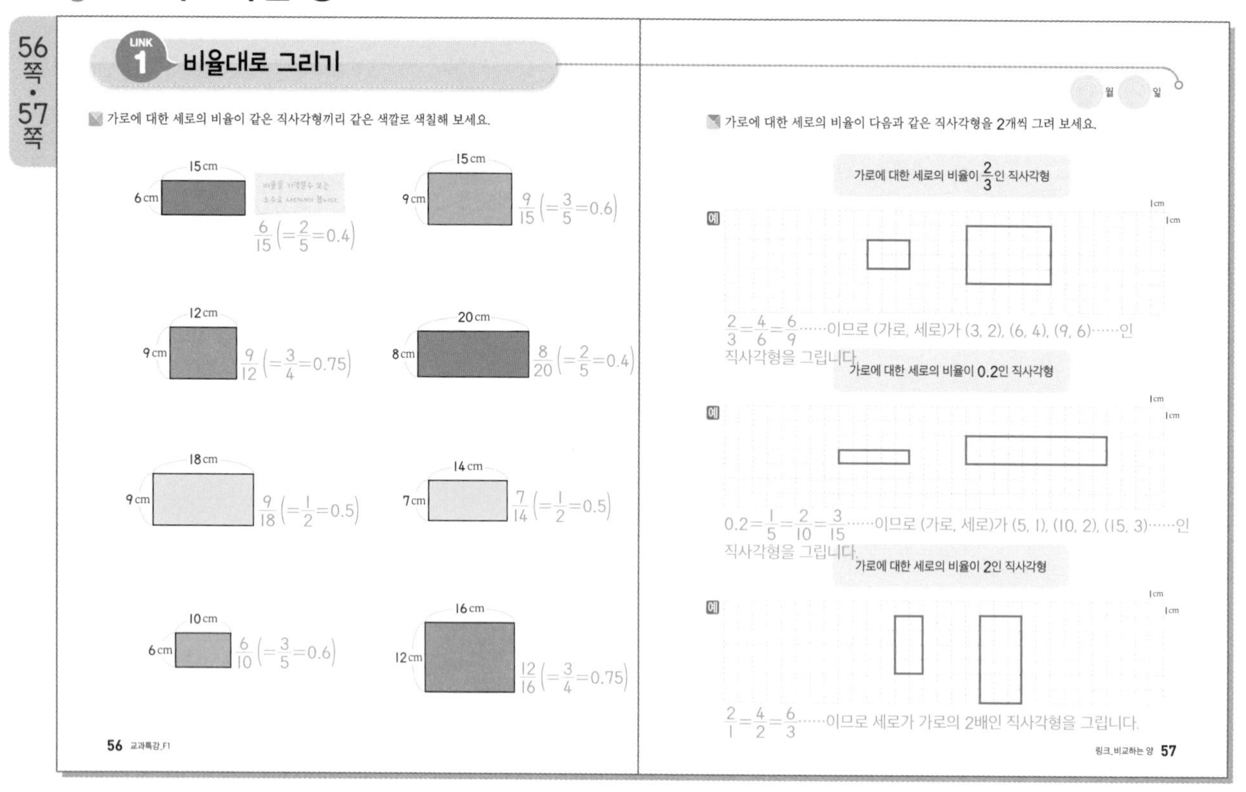

56쪽·57쪽

LINK 1 비율대로 그리기

가로에 대한 세로의 비율이 같은 직사각형끼리 같은 색깔로 색칠해 보세요.

15 cm, 6 cm: $\frac{6}{15}\left(=\frac{2}{5}=0.4\right)$

15 cm, 9 cm: $\frac{9}{15}\left(=\frac{3}{5}=0.6\right)$

12 cm, 9 cm: $\frac{9}{12}\left(=\frac{3}{4}=0.75\right)$

20 cm, 8 cm: $\frac{8}{20}\left(=\frac{2}{5}=0.4\right)$

18 cm, 9 cm: $\frac{9}{18}\left(=\frac{1}{2}=0.5\right)$

14 cm, 7 cm: $\frac{7}{14}\left(=\frac{1}{2}=0.5\right)$

10 cm, 6 cm: $\frac{6}{10}\left(=\frac{3}{5}=0.6\right)$

16 cm, 12 cm: $\frac{12}{16}\left(=\frac{3}{4}=0.75\right)$

56 교과특강_F1

월 일

가로에 대한 세로의 비율이 다음과 같은 직사각형을 2개씩 그려 보세요.

가로에 대한 세로의 비율이 $\frac{2}{3}$인 직사각형

예

$\frac{2}{3}=\frac{4}{6}=\frac{6}{9}$……이므로 (가로, 세로)가 (3, 2), (6, 4), (9, 6)……인 직사각형을 그립니다.

가로에 대한 세로의 비율이 0.2인 직사각형

예

$0.2=\frac{1}{5}=\frac{2}{10}=\frac{3}{15}$……이므로 (가로, 세로)가 (5, 1), (10, 2), (15, 3)……인 직사각형을 그립니다.

가로에 대한 세로의 비율이 2인 직사각형

예

$\frac{2}{1}=\frac{4}{2}=\frac{6}{3}$……이므로 세로가 가로의 2배인 직사각형을 그립니다.

링크_비교하는 양 57

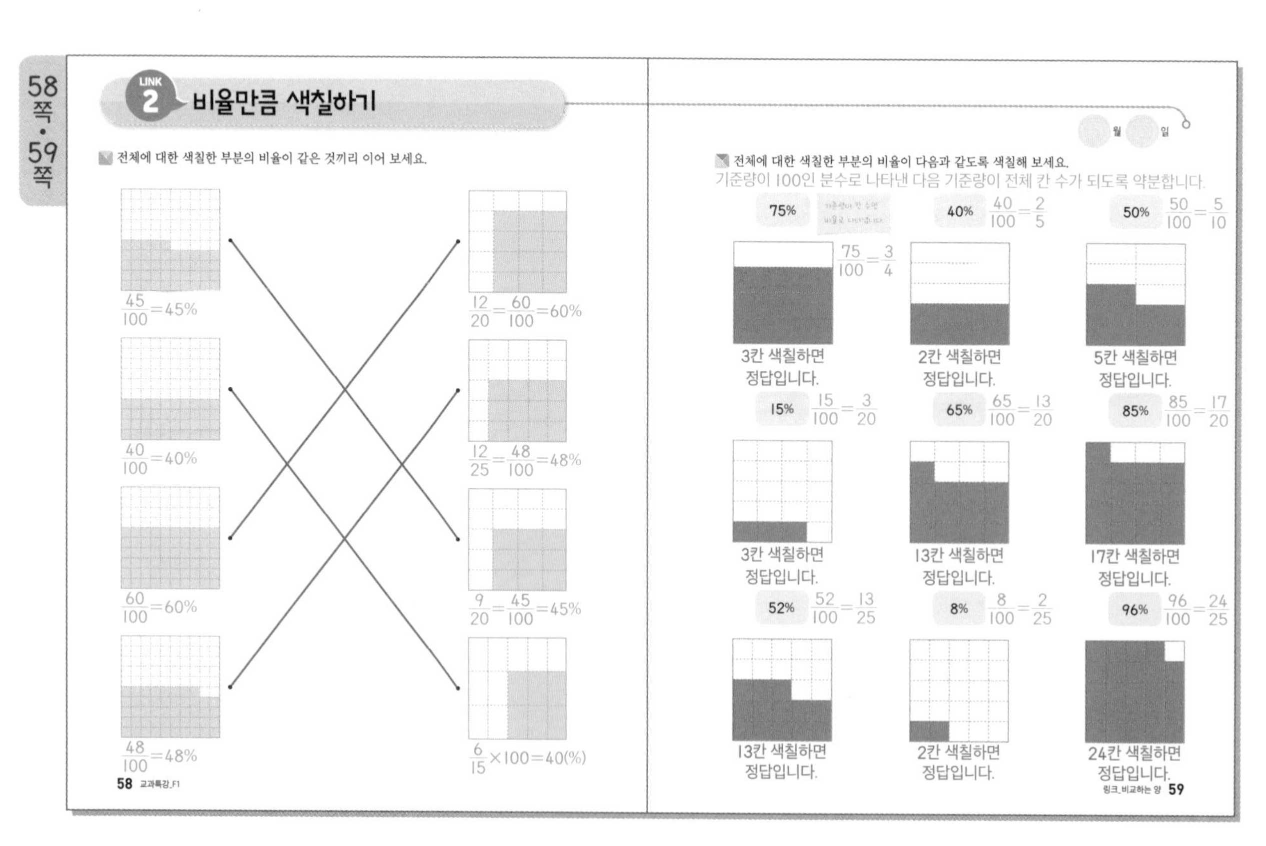

58쪽·59쪽

LINK 2 비율만큼 색칠하기

전체에 대한 색칠한 부분의 비율이 같은 것끼리 이어 보세요.

$\frac{45}{100}=45\%$ — $\frac{9}{20}=\frac{45}{100}=45\%$

$\frac{40}{100}=40\%$ — $\frac{6}{15}\times100=40(\%)$

$\frac{60}{100}=60\%$ — $\frac{12}{20}=\frac{60}{100}=60\%$

$\frac{48}{100}=48\%$ — $\frac{12}{25}=\frac{48}{100}=48\%$

58 교과특강_F1

월 일

전체에 대한 색칠한 부분의 비율이 다음과 같도록 색칠해 보세요.

기준량이 100인 분수로 나타낸 다음 기준량이 전체 칸 수가 되도록 약분합니다.

75% $\frac{75}{100}=\frac{3}{4}$ 3칸 색칠하면 정답입니다.

40% $\frac{40}{100}=\frac{2}{5}$ 2칸 색칠하면 정답입니다.

50% $\frac{50}{100}=\frac{5}{10}$ 5칸 색칠하면 정답입니다.

15% $\frac{15}{100}=\frac{3}{20}$ 3칸 색칠하면 정답입니다.

65% $\frac{65}{100}=\frac{13}{20}$ 13칸 색칠하면 정답입니다.

85% $\frac{85}{100}=\frac{17}{20}$ 17칸 색칠하면 정답입니다.

52% $\frac{52}{100}=\frac{13}{25}$ 13칸 색칠하면 정답입니다.

8% $\frac{8}{100}=\frac{2}{25}$ 2칸 색칠하면 정답입니다.

96% $\frac{96}{100}=\frac{24}{25}$ 24칸 색칠하면 정답입니다.

링크_비교하는 양 59

60쪽·61쪽

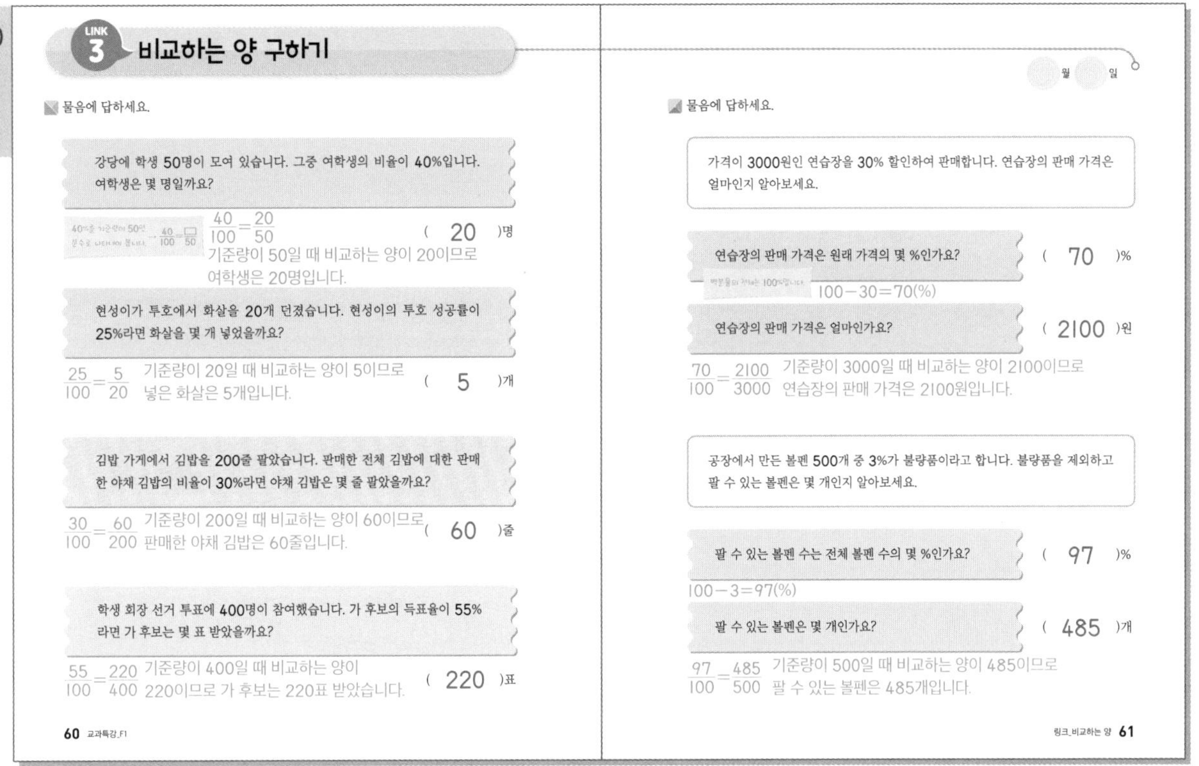

LINK 3 비교하는 양 구하기

물음에 답하세요.

강당에 학생 50명이 모여 있습니다. 그중 여학생의 비율이 40%입니다. 여학생은 몇 명일까요?

$\frac{40}{100}=\frac{20}{50}$ 기준량이 50일 때 비교하는 양이 20이므로 여학생은 20명입니다. (20)명

현성이가 투호에서 화살을 20개 던졌습니다. 현성이의 투호 성공률이 25%라면 화살을 몇 개 넣었을까요?

$\frac{25}{100}=\frac{5}{20}$ 기준량이 20일 때 비교하는 양이 5이므로 넣은 화살은 5개입니다. (5)개

김밥 가게에서 김밥을 200줄 팔았습니다. 판매한 전체 김밥에 대한 판매한 야채 김밥의 비율이 30%라면 야채 김밥은 몇 줄 팔았을까요?

$\frac{30}{100}=\frac{60}{200}$ 기준량이 200일 때 비교하는 양이 60이므로 판매한 야채 김밥은 60줄입니다. (60)줄

학생 회장 선거 투표에 400명이 참여했습니다. 가 후보의 득표율이 55%라면 가 후보는 몇 표 받았을까요?

$\frac{55}{100}=\frac{220}{400}$ 기준량이 400일 때 비교하는 양이 220이므로 가 후보는 220표 받았습니다. (220)표

월 일

물음에 답하세요.

가격이 3000원인 연습장을 30% 할인하여 판매합니다. 연습장의 판매 가격은 얼마인지 알아보세요.

연습장의 판매 가격은 원래 가격의 몇 %인가요? (70)%

100−30=70(%)

연습장의 판매 가격은 얼마인가요? (2100)원

$\frac{70}{100}=\frac{2100}{3000}$ 기준량이 3000일 때 비교하는 양이 2100이므로 연습장의 판매 가격은 2100원입니다.

공장에서 만든 볼펜 500개 중 3%가 불량품이라고 합니다. 불량품을 제외하고 팔 수 있는 볼펜은 몇 개인지 알아보세요.

팔 수 있는 볼펜 수는 전체 볼펜 수의 몇 %인가요? (97)%

100−3=97(%)

팔 수 있는 볼펜은 몇 개인가요? (485)개

$\frac{97}{100}=\frac{485}{500}$ 기준량이 500일 때 비교하는 양이 485이므로 팔 수 있는 볼펜은 485개입니다.

정답

형성평가

형성평가 1회

맞힌 문항 수: / 6문항

1 빈칸에 알맞은 수를 써넣으세요.

5 : 9 ➡ 5 대 9
5 와 9 의 비
9 에 대한 5 의 비

2 바르게 설명한 것의 기호를 써 보세요.

> ㉠ 비율 0.5를 백분율로 나타내면 5%입니다.
> ㉡ 백분율 70%를 분수로 나타내면 $\frac{7}{10}$입니다.
> ㉢ 비율 $\frac{3}{50}$을 백분율로 나타내면 3%입니다.

(㉡)

㉠ $0.5=\frac{5}{10}=\frac{50}{100}=50\%$
㉢ $\frac{3}{50}=\frac{6}{100}=6\%$

3 희준이네 반 학생 26명 중에서 15명이 줄넘기 대회에 참가했습니다. 희준이네 반 학생 수에 대한 줄넘기 대회에 참가한 학생 수의 비를 써 보세요.

참여한 학생 수 15명을 전체 학생 수 26명을 기준으로 비교한 비입니다. (15 : 26)

4 전체에 대한 색칠한 부분의 비와 비율을 써 보세요.

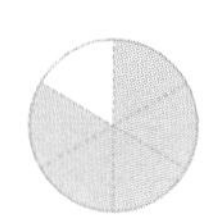

비	비율(분수)
5 : 6	$\frac{5}{6}$

기준량: 6, 비교하는 양: 5

5 끈 300 cm 중에서 선물을 포장하는 데 135 cm를 사용했습니다. 처음 있던 끈의 길이에 대한 남은 끈의 길이는 몇 %일까요?

기준량: 처음 있던 끈의 길이, 비교하는 양: 남은 끈의 길이
남은 끈의 길이: $300-135=165$(cm)
$\frac{165}{300}=\frac{55}{100}=55\%$

(55)%

6 승진, 나현, 찬우가 축구공 차기를 했습니다. 성공률이 다른 친구 한 명의 이름을 써 보세요.

> • 승진: 공을 15번 차서 골대에 12번 넣었어.
> • 나현: 공을 25번 차서 골대에 21번 넣었어.
> • 찬우: 나의 성공률은 $\frac{4}{5}$야.

(나현)

승진이의 성공률: $\frac{12}{15}\times100=80(\%)$ 나현이의 성공률: $\frac{21}{25}=\frac{84}{100}=84\%$
찬우의 성공률: $\frac{4}{5}=\frac{80}{100}=80\%$

66쪽·67쪽

형성평가 2회

맞힌 문항 수: / 6문항

1 분수로 나타낸 비율을 백분율로 나타내어 보세요.

$\frac{3}{5}=$ 60 % $\frac{7}{10}=$ 70 % $\frac{9}{25}=$ 36 %

$\frac{3}{5}=\frac{60}{100}=60\%$ $\frac{7}{10}=\frac{70}{100}=70\%$ $\frac{9}{25}=\frac{36}{100}=36\%$

2 관계있는 것끼리 이어 보세요.

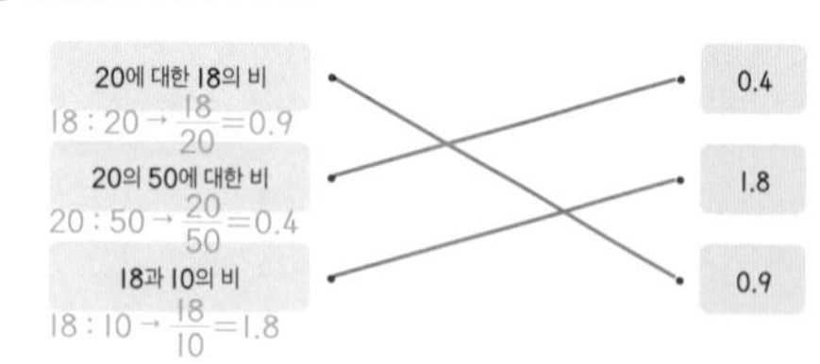

3 공장에서 생산한 가방 500개 중 10개가 불량품이라고 합니다. 불량품의 수는 전체 가방 수의 몇 %일까요?

기준량: 전체 가방 수, 비교하는 양: 불량품의 수
$\frac{10}{500}=\frac{2}{100}=2\%$

(2)%

4 비율 0.75를 기준량이 4인 비로 나타내어 보세요.

$0.75=\frac{75}{100}=\frac{3}{4}\rightarrow 3:4$

(3 : 4)

5 죽림 마을과 예송 마을의 인구와 넓이입니다. 두 마을 중 넓이에 대한 인구의 비율이 더 높은 곳은 어느 마을일까요?

마을의 인구와 넓이

마을	죽림 마을	예송 마을
인구(명)	9600	6500
넓이(km^2)	8	5

(예송 마을)

죽림 마을: $9600:8\rightarrow 9600\div8=\frac{9600}{8}$ (=1200)
예송 마을: $6500:5\rightarrow 6500\div5=\frac{6500}{5}$ (=1300)

6 가게에서 컵과 접시를 할인하여 판매하고 있습니다. 컵과 접시 중 할인율이 더 높은 것은 무엇일까요?

컵의 할인율: $\frac{1500}{5000}=\frac{30}{100}=30\%$

> • 가격이 5000원인 컵을 1500원 할인하여 판매합니다.
> • 가격이 6000원인 접시를 할인하여 3900원에 판매합니다.

(접시)

접시의 할인 금액: $6000-3900=2100$(원)
접시의 할인율: $\frac{2100}{6000}=\frac{35}{100}=35\%$

초등 수학 핵심파트 집중 완성 교과특강

“교과수학을 완성합니다.”

수와 도형의 배열에서 규칙을 찾아
사고력을 기릅니다.

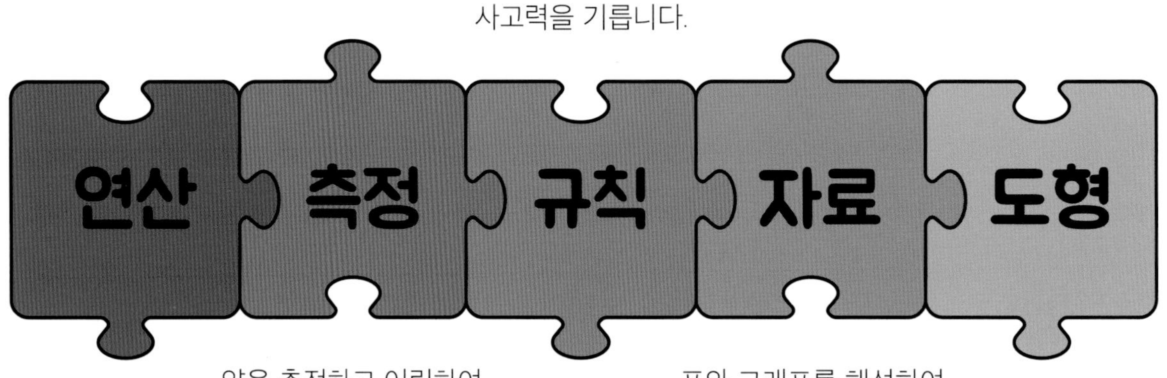

양을 측정하고 어림하여
실생활의 수 감각을 기릅니다.

표와 그래프를 해석하여
추론능력을 기릅니다.